Bilder*Lust*

Dieses Buch begleitet eine Ausstellung,
an der unter anderen folgende Institute
beteiligt sind:

Altes Museum Berlin (24. 1. bis 17. 3. 1991)
Galerie Rhänitzgasse der Landeshauptstadt Sachsens,
Dresden (26. 5. bis 23. 6. 1991)
Museum Ludwig, Köln (2. 7. bis 11. 8. 1991)
u. a.

Ausstellung:
Konzept: Ulrich Domröse, Reinhold Mißelbeck,
Claudia Gabriele Philipp, Uwe Scheid, Rainer Wick
Produktion: Rainer Wick

Umschlagbild: Joe Gantz, USA, 1985 Hommage II

© Copyright: Edition Braus, Heidelberg
Konzept: Günter Braus, Uwe Scheid und Rainer Wick
Layout: Horst Becker, ggmbh
Redaktion: Anne Görl
Reproduktionen: O.R.T., Berlin
Satz und Druck: Brausdruck GmbH, Heidelberg
1. Auflage Januar 1991
ISBN 3-925835-74-1

BilderLust

EROTISCHE PHOTOGRAPHIEN
AUS DER
SAMMLUNG UWE SCHEID

HERAUSGEGEBEN VON
ULRICH DOMRÖSE
CHRISTIAN VON FABER-CASTELL
CLAUDIA GABRIELE PHILIPP
RAINER WICK
REINHOLD MISSELBECK

Edition Braus

KÖRPERBILDER: BILDERLUST

Reinhold Mißelbeck und Rainer Wick

Nichts ist uns näher als unser Körper. Nichts war gleichzeitig in der Geschichte so sehr mit Verboten und Tabus behaftet, wie die Auseinandersetzung mit ihm. Dennoch ist er eines der ältesten Themen der Kunst quer durch alle Kulturen. So ist es nicht verwunderlich, daß sich auch die Photographie in dem Augenblick, in dem dies technisch möglich war, mit ihm beschäftigte. Von Anbeginn hat sie sich auch mit allen Aspekten dieses Genres befaßt, über alle Heimlichkeiten hinweg, allen Anfechtungen zum Trotz. War es in früheren Jahrzehnten noch nicht möglich, dies gesamte Spektrum zu dokumentieren, haben gerade die Künstlerarbeiten der Gegenwart hier neue Maßstäbe gesetzt. Sie nehmen für sich in Anspruch, sich mit dem Körper, – dem eigenen oder anderen - in einer Weise auseinanderzusetzen, die ihn als Spiegel und Gleichnis für die menschliche Existenz, ihre physische, psychische und gesellschaftliche Befindlichkeit erscheinen lassen. Die Auseinandersetzung mit dem Körper wird exemplarisch geführt. Sie wird verständlich, da er sich als Identifikationsobjekt anbietet. Sie ignoriert tradierte Vorbehalte, und sie kann es, da der Inhalt des Bildes mit ihrem unmittelbaren Gegenstand nicht identisch ist. Die Künstlerarbeiten zielen auf das Bild und seine imaginären Inhalte und greifen auf die Darstellungsmittel zurück, die sie am evidentesten zum Ausdruck bringen.

Von diesem Standort ausgehend konnte das Autoren- und Herausgeberteam auf einen enzyklopädischen oder pädagogischen Anspruch verzichten und die Sammlung Uwe Scheid auf ihre aussagekräftigsten und ihre zeittypischen Photographien überprüfen. Vor diesem Hintergrund ist der Titel »Bilderlust« ein deutlicher Hinweis auf die Absicht der Ausstellung: ausgezeichnete Bilder zusammenzustellen, die sicherlich nicht alle unter der Rubrik Kunst zu verstehen sind – weder aus historischer, noch aus der gegenwärtigen Position – die jedoch alle aufgrund ihrer Qualität Genuß bei der Auseinandersetzung mit ihnen erlauben. Die Ausstellung präsentiert Glanzlichter dieses Genres und erlaubt doch gleichzeitig einen schlaglichtartigen Exkurs in die verschiedenen Facetten der erotischen und der Aktphotographie im Laufe ihrer hundertfünfzigjährigen Geschichte. Mit der Ausstellung im Alten Museum, Berlin und weiteren Städten in Ostdeutschland wird man dort erstmals die Möglichkeit haben, sich mit diesem Thema auseinanderzusetzen, ohne sich auf eine ermüdende historische Materialschlacht einzulassen. Mit der Ausstellung im Museum Ludwig ist dies gleichermaßen für Köln eine Premiere.

Dank an den Verleger Günter Braus, den Gestalter Horst Becker, die beteiligten Kuratoren und Herausgeber, für eine rundherum zufriedene, befriedigende Zusammenarbeit. Dank an Ojars Baumeister und Hans Eppendorfer, Dank an die Museumsmitarbeiter, an Prof. Dr. Günter Schade. Und im Namen aller Beteiligter: ein herzliches Dankeschön an den Sammler Uwe Scheid, dessen Lust uns viel Freude bereitete.

SAMMELLUST

Uwe Scheid

Lustbilder – Bilderlust – Lust, die von Bildern ausgeht. Von dieser Lust am Erotischen habe ich mich bei der Auswahl dieser photographischen Bilder leiten lassen. Die allererste Begegnung mit einer begehrenswerten Aktphotographie läßt sich am ehesten mit dem Rendezvous mit einer attraktiven Frau vergleichen. Sie erzeugt Herzklopfen, Begierde und die Sehnsucht, sie zu besitzen. Oft wird ein Aktbildnis in einem »Liebesrausch« erworben, häufig ist es auch Liebe auf den zweiten Blick, dann nämlich, wenn man bei späterer Betrachtung z. B. Details in der Bildkonzeption entdeckt, die bis dahin von der sinnlichen Botschaft des Bildinhaltes überlagert wurden.

Bei der hier präsentierten Bildauswahl habe ich weder kultur- noch kunsthistorische, noch sitten- oder sozialgeschichtliche Aspekte besonders berücksichtigt. Die hier versammelten Lichtbilder können daher auch keine enzyklopädische Abhandlung sein – sie stellen eine rein subjektive Selektion dar.

So bin ich auch nicht dem in letzter Zeit bestimmenden Trend gefolgt, nur Prints nach künstlerischen Kriterien auszusuchen. Aufnahmen berühmter und von der Kunstgeschichte anerkannter Photographen wie Hans Bellmer, František Drtikol, Wilhelm von Gloeden, Man Ray, Franz Roh oder Edward Steichen sind neben Bildern unbekannter Autoren plaziert. Deren Photographien wirken auf mich oft frischer und unkonventioneller und sind nicht zuletzt auch unverbraucht, da sie bislang noch nie (oder ganz selten) publiziert wurden.

Zwar begann ich schon vor zwei Jahrzehnten mit dem Sammeln von Objekten zur Photogeschichte und -technik. Das photographische Bild und hier speziell mit erotischen Motiven entdeckte ich als Sammelobjekt erst 1984. Schlüsselerlebnis war der Erwerb einer Akt-Stereodaguerreotypie, von deren erotischer Ausstrahlung sowie künstlerischer und ästhetischer Kraft ich gefangen war. Der zündende Funke war übergesprungen und ließ innerhalb weniger Jahre eine umfangreiche Spezialsammlung entstehen.

Daß in meiner Sammlung Darstellungen des unverhüllten weiblichen Körpers weitaus dominieren, liegt einerseits an meiner Intention als Sammler, aber natürlich auch daran, daß Photographen dem »Lustprinzip« folgten und immer schon aus eigenem erotischem Interesse überwiegend weibliche Schönheiten nackt ablichteten.

Glücklicherweise haben Verleger, Kuratoren und Herausgeber mutig zugestimmt, daß einige wenige Aufnahmen aus dem Bereich der Pornographie gezeigt werden. Es wurde darauf geachtet, keine derben oder obszönen Bilder zu veröffentlichen. Auch Darstellungen der »Liebesarbeit« können durchaus ästhetisch sein. Sollte die Grenze der Akzeptanz bei der einen oder anderen erotischen Photographie dennoch überschritten sein, bitte ich um Nachsicht. Bestimmt können einige Seiten weiter künstlerisch ausdrucksstarke Motive wieder versöhnen. Im übrigen entschärft der historische Abstand – bei den Daguerreotypien z. B. 140 Jahre – die Bildwirkung.

Den bei Ausstellung und Katalog Beteiligten, den Herausgebern bzw. Kuratoren Ulrich Domröse, Dr. Reinhold Mißelbeck, Dr. Claudia Gabriele Philipp und Rainer Wick und nicht zuletzt dem Verleger Günter Braus danke ich sehr herzlich für die großartige Unterstützung. Ohne sie hätte dieses Projekt nicht realisiert werden können.

Wenn Sie sich die nachfolgenden Bilder anschauen, sollten Sie ein wenig innehalten, mit der Photographie Zwiesprache halten. Sie sollten sich Zeit und Muße nehmen, die Motive auf sich wirken lassen – ganz im Gegensatz zur heute üblichen, teilweise auch notwendigen Betrachtungsweise: Photographien werden schnell und hektisch konsumiert, um der Bilderflut halbwegs Herr zu werden. Ich würde mich sehr freuen, wenn beim Streifzug durch den »Garten der Lüste« und dem Genießen der Bilder die gleiche Begeisterung, die ich beim Zusammentragen dieser Sammlung empfunden habe, auf Sie überspringen würde: BILDERLUST.

REIZSTOFF

Christian von Faber-Castell

Ein Penis ist nicht notwendigerweise sauberer als ein Schwanz: Es wäre sicher vorteilhaft, weniger bedacht auf eine saubere als auf eine deutlichere Sprache zu sein.« Diese prägnanten Worte, mit denen Professor Werner Habermehl, Leiter der Gesellschaft für Erfahrungswissenschaftliche Sozialforschung in Hamburg, kürzlich die Leser der Ärztefachzeitschrift »Sexualmedizin« in einem höchst lesenswerten Editorial zu einer offenen, unverblümten und unverkrampften Behandlung geschlechtlicher Fragen aufruft, passen – kaum erstaunlicherweise – genausogut in die heutige Diskussion über Pornographie. Denn so heftig und erbittert die Pornographiediskussion in allen Kreisen auch geführt wird – angefangen mit der wissenschaftlichen Verteidigung der Pornographie als sozialhygienisch notwendiges Triebventil oder sexualmedizinische Therapiehilfe bis hin zur feministischen Anprangerung der Pornographie als Symbol männlich-chauvinistischer Unterdrückung – so fehlt ihr doch bis heute eine wirklich brauchbare, verbindliche Definition des eigentlichen Streitbegriffes.

Dessen sprachliche Verwandschaft mit den griechischen Worten »Pornä« für »Hure« und »graphein« für »schreiben, zeichnen, malen« – in älteren Lexika findet man unter dem Stichwort Pornographie sogar zuweilen die schlichte Übersetzung »Hurenliteratur« – deutet zwar an, worum es dabei im Wesentlichen geht: Nämlich um »die sprachliche und/oder bildliche Darstellung sexueller Akte…«, wie die entsprechende Erklärung in der jüngsten Ausgabe von Meyers Enzyklopädischem Lexikon (1979) anhebt.

Doch schon unmittelbar die Fortsetzung dieser modernen Lexikondefinition: »…unter einseitiger Betonung des genitalen Bereichs (zuweilen in Verbindung mit Perversionen) und unter Ausklammerung der psychischen und partnerschaftlichen Aspekte der Sexualität…« führt ins begriffliche Niemandsland.

Sind dieser Definition zufolge beispielsweise Darstellungen eines erigierten männlichen Gliedes oder auch einer weiblichen Scham an sich schon pornographisch?

Bezeichnenderweise meiden denn auch die von Berufes wegen an eine strenge begriffliche Disziplin gewöhnten Juristen den Begriff der »Pornographie« ebenso konsequent wie den inhaltlich eng damit verwandten Begriff der »Obszönität«. Sogenannte »Pornographieverbote« arbeiten vielmehr mit Begriffskonstruktionen wie »schamlos«, »unzüchtig«, »in einer Sitte und Anstand verletzenden Weise« und so fort, die allerdings kaum schärfer gefaßt sind.

Daß diese unscharfen Gummibegriffe in gewissen neueren Rechtsauffassungen durch das nicht weniger wolkige Konzept einer »sexuell erregenden Wirkung« als Kriterium für Pornographie ersetzt oder ergänzt werden, macht das Ganze kaum einfacher. Wirken demzufolge denn beispielsweise die so häufig als Inbegriff übler Pornographie aufgeführten Wandzeichnungen in gewissen Herrentoiletten tatsächlich sexuell stimulierend auf den sogenannten Durchschnittsmenschen?

Gerade die in diesem Buch versammelten Bilder illustrieren aufs Deutlichste, wie schwierig, schon allein eine gültige Abgrenzung zwischen »erotischer« und »pornographischer« – im Sinne von anstößiger – Photographie ist. Im Bewußtsein dieser Unmöglichkeit haben die Herausgeber daher auch auf eine entsprechende Kategorisierung des Materials verzichtet: Eine solche mag von jedem Betrachter nach (Bilder-)Lust und Laune persönlich vorgenommen werden, wobei sie in jedem Einzelfalle wieder etwas anders ausfallen dürfte.

Im folgenden sollen einige willkürlich ausgewählte Aspekte der Pornographie angeschnitten werden, die sich aus ihrer unmittelbaren Wechselwirkung mit dem Medium der Photographie ergeben.

Mit den technischen Möglichkeiten der Photographie ist die Pornographie, die es in Wort und Bild ja schon seit Menschengedenken gibt, ja tatsächlich in ein ganz neues Stadium getreten. Das photographische Bild zeigt nämlich erstmals die umittelbare, schonungslose, nicht durch die Phantasie eines Künstlers und die Ausdrucksmöglichkeiten seines jeweiligen Mediums verfremdete geschlechtliche Wirklichkeit. Und genau dieser unbarmherzige, selbst durch die früher üblichen umfangreichen Schamhaarretouchen kaum beeinträchtigte Realismus der pornographischen Photographie ist es, der den Betrachter am stärksten schockiert, verwirrt oder stimuliert.

Ein gutes Beispiel hierfür sind etwa Abbildungen von Hermaphroditen. Holzschnitt- und Kupferstichdarstellungen von Wesen, die sowohl männliche als auch weibliche Attribute besitzen, gab es schon in früheren Jahrhunderten – ohne daß man ihnen allerdings viel mehr Wirklichkeitsgehalt zumessen mußte. Erst die photographischen Abbildungen von echten Hermaphroditen oder von nicht vollständig geschlechtsumgewandelten Transsexuellen, haben deren tatsächliche Existenz zur gesicherten, oft verblüffenden Wirklichkeit werden lassen.

Die unmittelbare, stärkere Wirkung photographischer Pornographie äußert sich andererseits aber auch in einer deutlich verminderten Toleranz ihr gegenüber. So findet man z. B. in jenen gezeichneten pornographischen Comic-Büchlein, die sich vor allem in Italien und Frankreich volkstümlicher Beliebtheit erfreuen, zuweilen pornographische Darstellungen von einer bizarren Stärke, wie sie in photographierter Form wohl kaum geduldet würde.

Zugleich hat der unbestechliche, dokumentarische Charakter der Photographie aber auch noch einen ganz anderen, ansonsten häufig übersehenen typischen Wesenszug der Pornographie in schonungsloser Deutlichkeit zur Geltung gebracht: Die ausgeprägte Zeit- und Epochenabhängigkeit ihrer besonderen – eben »pornographischen« – Wirkung. Wie manche Daguerreotypien und Photographien, die unsere Großeltern noch als obszön und anstößig schockiert haben mögen, kommen uns heute höchstens noch komisch-kurios oder gar lächerlich vor? Verstärkt wird dieser Eindruck natürlich noch, wenn man sich vorstellt, daß die auf diesen alten Bildern amourös agierenden Paare aus belichtungstechnischen Gründen oft viele Sekunden lang starr und unbeweglich in der jeweiligen Position verharren mußten – eine akrobatische Leistung, die der Performance heutiger Höchstleistungsdarsteller in diesem Metier kaum nachsteht...

Möglicherweise liefert in diese zeitliche Wandlung vom Schockierenden zum bloß noch Lächerlichen sogar einen Schlüssel zur Erkennung wahrer, zeitloser Kunstwerke in der Flut erotisch-pornographischer Photographie vergangener Tage – auch wenn ein solches Kriterium zwangsläufig wieder subjektiv, epochenbezogen und naturgemäß rein retrospektiv anwendbar ist.

Schon in der Frühzeit der photographischen Pornographie dürfte ja der überwiegende Teil solch einschlägiger Bilder in erster Linie als erotische Gebrauchsphotographie und sexuelles Stimulans ohne ernstgemeinten künstlerischen Anspruch gedacht gewesen sein.

Wer sich diesen Bildern unbefangen, neugierig und gelegentlich auch erheitert nähert, dem mögen sie hinter ihrer vordergründigen Anstößigkeit vielleicht einen anderen, durch die dokumentarische Unbestechlichkeit der Photographie verdeutlichten Wesenszug der Pornographie erschließen, der ihr jenseits von Sittenkodex und Sexualmoral eine ganz eigene und eigentümliche Daseinsberechtigung sichert: Erotische Kunst im allgemeinen und ehrliche, ungeschminkte Pornographie im besonderen öffnet nämlich immer wieder ein Fenster zu einem menschlichen Lebens- und Daseinsbereich, der bislang aller sonstigen Aufgeklärtheit unserer Zeit zum Trotz in geradezu mittelalterlich-mysteriösem Dunkel dämmert: Zur Sphäre unserer geschlechtlichen Intimität.

Die bewußte, offene Auseinandersetzung mit dieser über fast alle soziologischen Schranken hinweg so erstaunlich schamhaft gehüteten Wirklichkeit kann dabei zwar gewiß nicht immer angenehm, sondern allzuoft peinlich, abstoßend und unter Umständen sogar verletzend sein. Aber haben nicht auch die Menschen der Aufklärung im 18. Jahrhundert unter dem damaligen dramatischen Umsturz bewährter Vorstellungen und Begriffswelten in ähnlicher Weise gelitten – ohne daß wir deshalb heute auf die Segnungen der damals erfolgten geistigen Befreiung verzichten wollten?

ZWISCHEN SCHAM UND SCHAULUST

Claudia Gabriele Philipp

»Da wurden ihnen beiden die Augen aufgetan, und sie wurden gewahr, daß sie nackt waren…« (1. Mose 3)

Von der Darstellung des Sündenfalls bis zur Aktphotographie scheint es ein weiter Weg zu sein. Das Phänomen der Nacktheit, im Geiste des Betrachters entstehend, verbindet das biblische Geschehen mit dem Bild aus der Maschine: Es geht um die Körperlichkeit des Menschen. Bezeichnenderweise steht die Frau im Zentrum des Interesses. Der Mann versucht sich zu distanzieren, indem er ihr die Schuld an der Vertreibung aus dem Paradies zuweist und zugleich ihren Körper in Besitz nimmt, sich also ganz im Sinne der Bibel zu ihrem Herrn macht.

In besonderer Weise geschieht dies in der Aktdarstellung, der weibliche Körper wird zum Objekt der Begierde. Ein sprachliches Indiz für unsere Verwurzelung in der christlichen Tradition ist der Begriff des Evakostüms, denn es geht beim Anblick einer nackten Frau stets auch um ihre Verführungskünste. »Sie ist nicht nackt, wie sie ist. Sie ist nackt, weil der Betrachter sie sieht.«[1] Ein besonderer Reiz entsteht beim Betrachten eines photographischen Bildes, da sich der Körper tatsächlich so, wie er zu sehen ist, zum Zeitpunkt der Aufnahme vor der Kamera befunden haben muß. Die Illusion der Realität steigert das Vergnügen, zugleich kann man körperliche Distanz wahren.

Das Bild der Frau im realen wie übertragenen Sinne wandelt sich im Laufe der Geschichte. Die Vorstellungen hinsichtlich weiblicher Identität und Rollenverteilung finden ihren Ausdruck nicht zuletzt in photographischen Bildern. Um die Jahrhundertwende beschreibt die Kunstphotographie Frauen als geheimnisvoll und unberührbar mit einer geradezu mystischen Verklärung. Von lyrischen Stimmungen geprägt ist die eher asexuelle Nacktheit nicht weiter bedrohlich für den Mann. In den zwanziger Jahren entsteht ein anderer, aufgeklärter Frauentypus, wie ihn die Photographie des Neuen Sehens zeigt. Die neue Frau provoziert in den dreißiger Jahren offensichtlich eine Gegenbewegung, wie sich im weitgehend männlich bestimmten Surrealismus manifestiert. Dieser pendelt in seinen Darstellungen zwischen zauberhaften Wesen, die »als letzte Metamorphose der Sphinx«[2] erscheinen, und zerstörender Deformierung der Körper. Einige Beispiele sollen im folgenden photographiegeschichtliche Stationen und zugleich Nahtstellen einer Bildgeschichte des weiblichen Körpers markieren.

Frank Eugene Smith macht die Scham der Eva, die ihrer Lust nach dem Apfel der Erkenntnis nachgab, zum Gegenstand seines vor 1910 entstandenen Bildes mit dem Titel »Adam und Eva« (S. 74). Während sich der weibliche Körper dem Betrachter frontal darbietet, ist der männliche Körper eher thematisches Beiwerk und in Rückenansicht zu sehen. Adam wird vom Photographen weitgehend durch Schraffierung überdeckt. Es handelt sich hierbei um einen von Frank Eugene Smith häufig angewandten Eingriff in das Negativ. Durch die Behandlung des Hintergrunds mit Deckfarben und einer Radiernadel erzielt er eine graphische Wirkung.

Adam und Eva schlagen mit gesenkten Köpfen schamvoll ihre Augen nieder, sind jedoch trotz körperlicher Nähe mit ihrem Gefühl allein. Mit dem Schema einer uralten Rollenverteilung – die Frau als Verführerin, der Mann als Verführter – werden biblische Schuldzuweisungen ausgesprochen. Sich Schämen wird zur anthropologischen Konstanten, obwohl es tatsächlich anerzogen und in der jeweiligen Ausprägung kulturell bedingt ist. Unser Blick konzentriert sich auf den weiblichen Körper, der trotz weichzeichnerischer Effekte, wie sie für die Kunstphotographie um 1900 charakteristisch sind, in seinen anatomischen Details deutlich erkennbar ist.

Obwohl das ganze Bild in geheimnisvollem Dunkel liegt, bleibt Evas Scham unverhüllt. Sie zeigt ihr Gefühl und die Nacktheit ihres Körpers. Kein Feigenblatt verhüllt die Scham, wie im deutschsprachigen Raum in altertümlicher Weise auch die Sexualorgane heißen. Eva gilt als Inkarnation der Lüsternheit des weiblichen Geschlechts, ihre Gegenfigur ist die mütterliche, asexuelle Maria, die ihrem göttlichen Herrn gehorcht. Mutter und Hure – in dieser Polarität bewegt sich abendländisches, männlich bestimmtes Denken über Jahrhunderte hinweg.

Die öffentliche Preisgabe (zur Unzucht) – nichts anderes bedeutet das lateinische Wort Prostitution – gehört zum ältesten Gewerbe der Welt. In ganz besonderer Weise wird der (meist weibliche) Körper in der Aktphotographie dargeboten. Der Kitzel der nackten Wahrheit entsteht durch die spezifischen Abbildungseigenschaften des Mediums. Durch das anonyme Betrachten wird er zum öffentlichen Besitz, beliebig verfügbar. Der Dialog zwischen Betrachter und Modell verläuft einseitig, letzteres bleibt Objekt.

Eine besondere Beziehung zwischen Photograph und Abgebildeten zeigt sich in den um 1912 entstandenen »Storyville Portraits« von *E. J. Bellocq* (S. 83). Es handelt sich um Frauen aus dem Prostituiertenviertel seiner Heimatstadt New Orleans. Bellocq verschleiert die Situation weder durch Inszenierung noch durch photographische Mittel, er romantisiert keineswegs. Durch seine Dialogfähigkeit, indem er die Frauen als Individuen wahrnimmt, bleibt ihre Würde erhalten. Der Photograph bereitet für die Aufnahme eine optisch wohlgestaltete Bühne, die Selbstdarstellung hinsichtlich Kleidung und teilweiser Nacktheit sowie Haltung und räumlicher Gegebenheit überläßt er seinen Modellen.

Hans J. Scheurer beschreibt den Unterschied zur gängigen Praxis der Aktphotographie in seinem Kern: »Die im Bild festgehaltene Situation ist keine vor der Kamera, sondern mit der Kamera inszenierte. Die Frau nimmt keine Pose ein, ihre Körperhaltung ist Teil des Reagierens auf die Anwesenheit der Kamera.«[3] Offen sehen uns die Frauen an, den Kopf selbstbewußt erhoben. Im Gegensatz zur sonst üblichen Funktion bei der Aktdarstellung hat der Blickkontakt in diesem Falle keinen Aufforderungscharakter zum Voyeurismus, sondern verlangt die respektvolle Aufmerksamkeit des Betrachters als Dialogpartner.

Die Unterscheidung zwischen »nackt« und »Akt«, wie sie John Berger definiert, beleuchtet in diesem Zusammenhang ein Grundphänomen der Aktdarstellung. »Als Akt wird man von anderen nackt gesehen und doch nicht als man selbst erkannt. Ein nackter Körper muß als Objekt gesehen werden, um zum Akt zu werden. (Betrachtet man ihn als Objekt, fördert man damit seinen Gebrauch als Objekt.)

Nacktheit enthüllt sich selbst; ein Akt wird zur Schau gestellt. Nacktsein bedeutet, man selbst zu sein.«[4] Letzteres beschreibt das Grundanliegen der Freikörperkultur seit den zwanziger Jahren. Den Bildern von unbekleideten menschlichen Körpern und von gymnastischen Übungen in der freien Natur stehen zivilisatorisch überformte Aufnahmen der großstädtischen Gesellschaft gegenüber.

Der von einem unbekannten Photographen um 1928 aufgenommene Rückenakt mit Korsett (Abb. 108) bleibt auch hinsichtlich der Indentität und Individualität des Modells anonym. Präsentiert wird eine Körperzone, deren Verpackung die Schaulust anregen soll. Korsett mit Strapsen und Strümpfe mit Naht bekommen Fetischcharakter; die nur zur Hälfte abgebildete Frau ist Objekt des Betrachters und dürfte eher dem Bild der Prostituierten entsprechen als E. J. Bellocqs Portrait. Die Fragmentierung des Körpers, seine Reduzierung zum Torso unterstützt den Objektcharakter.

In der kunstphotographischen Tradition steht die Bewegungsstudie von *Rudolf Koppitz* (S. 85) aus dem Jahre 1927. Mittels weichzeichnerischer Effekte und einer, nicht zuletzt durch die Lichtführung, symbolistisch überhöhten Inszenierung entwirft dieser Photograph ein Idealbild der Harmonie von Körper und Seele. Fließende Gewänder und anmutige Bewegungen mädchenhaft schlanker Modelle zeigen die Schönheit des weiblichen Körpers. Assoziationen an den Ausdruckstanz der zwanziger Jahre stellen sich ein. Auf dem Hintergrund der realen Lebens- und Arbeitsbedingungen der meisten Frauen damals erweisen sich solche Ausdrucksstudien als schöner Schein von Wünschen und zugleich als Sehnsucht nach einem verlorenen Paradies.

Ohne übersinnliche Geheimnisse hingegen zeigen Photographen des Neuen Sehens wie Laszlo Moholy-Nagy und Raoul Hausmann in den zwanziger und dreißiger Jahren weibliche Körper, die ebenso deutlich abgelichtet und in ihrem Formenreichtum dargestellt werden wie die Gegenstände des alltäglichen Lebens. Die optischen Qualitäten der klaren, deutlichen Wiedergabe der Oberflächenbeschaffenheit werden fast haptisch erlebbar, sie scheinen zum Greifen nah. Hierin liegt die Sinnlichkeit des Wahrnehmungsvorganges.

Im Werk von *Man Ray* wird der weibliche Körper erneut zum geheimnisvollen Gegenstand. In seinem 1931 entstandenen Bild mit den Titel »Electricité« (S. 124) sind die beiden Frauenkörper so vom Bildrand überschnitten und die Arme auf den Rücken gelegt, daß die Figuren zum Torso werden. Unterstützt wird dieser Effekt durch einen sockelähnlichen Querbalken am vorderen Bildrand. Die Haut der Abgebildeten wirkt wie makellos kühler Marmor. Man Ray spielt hier offensichtlich mit mehreren Ebenen. Die Interpretation der quer durchs Bild gelegten Wellenlinien mit Blick auf den Titel läßt verschiedene Assoziationen zu. Erotik wird als elektrisierendes Element gesehen. Möglicherweise steckt die Idee von der Belebung toter Materie dahinter. Die Verbindung von Strom und Licht liegt nahe. Das selbsterzeugte Licht macht den Menschen gottähnlich.

Als neuzeitlicher Pygmalion betätigt sich *Hans Bellmer* in seinem Spiel mit der selbsterdachten und -geschaffenen Puppe (S. 125). In seinem um 1937 inszenierten Küchenstillleben vermischt sich Pornographisches (die kindlichen Söckchen und Lackschuhe!) mit subtilem Humor. Das Bild liest sich wie eine Parodie auf den Mythos der guten Hausfrau, die für die Erfüllung der Wünsche ihres Mannes zwischen Herd und Bett gewissermaßen Kopf steht.

Die erste Version von Hans Bellmers Puppe aus dem Jahre 1933 fiel noch wesentlich realistischer aus. Gedacht war sie als Mittel, den durch die Begegnung mit seiner um einiges jüngeren Cousine Ursula entstandenen erotischen Konflikt zu verarbeiten. Mit der zweiten 1936 begonnenen Puppenkonstruktion betreibt Hans Bellmer konstruktivistische Montage und surrealistische Demontage der Wirklichkeit zugleich. Spiegelbildlich verdoppelt er die Beine, die um einen kugelförmigen Bauch kreisen können. Er beruft sich

auf Sigmund Freuds Bemerkung über den Gegensinn der Urworte, wenn er zur Anatomie der Puppe erklärt: »Man kann sich zweifellos eine Umkehrachse zwischen reellem und virtuellem Erregungsherd denken, und die – da die gegensätzliche Affinität der Brüste und des Gesäßes, des Mundes und des Geschlechts erfahrungsgemäß besteht – in der Höhe des Nabels ungefähr, als Horizontale zu ziehen wäre.«[5]

Auf den ersten Blick scheinen die Puppe und damit die Phantasien leicht beherrschbar, auf den zweiten Blick entstehen Unbehagen und Unsicherheit. Dem Surrealismus geht es nicht nur um den Skandal, sondern zugleich um den Schock, der aus alltäglichen Wahrnehmungsmustern aufrüttelt und damit die Wirklichkeit auf eine zweite Ebene hinterfragt, die existierenden aber gern geleugneten unbewußten Triebe und Wünsche.

In den dreißiger Jahren spielt das Thema Puppe, Automaten, Fetische und Mannequins im Kreise der Surrealisten eine besondere Rolle. Als Gegenstück zur geheimnisvollen, irritierenden Sphinx, wie sie André Breton beschreibt, wird die Puppe zum gelehrigen und willfährigen Spielzeug des Mannes. Ist es beim antiken Bildhauer Pygmalion die göttliche Aphrodite selbst, die einer von ihm geschaffenen Elfenbeinstatue Leben einhaucht, so verhilft Hans Bellmer seiner Puppe durch die Photographie zur lebendig wirkenden Inszenierung. Der Triumph des Mediums liegt jedoch noch auf einer anderen Ebene. Psychoanalytisch orientiert betreibt Hans Bellmer das schwierige Geschäft, unbewußte Bilder sichtbar zu machen und unterminiert die Wahrnehmungsmuster der traditionellen Aktphotographie, die dem Betrachter illusionistisch die Befriedigung seiner Wunschvorstellungen vorgaukelt.

Somit trägt der Surrealismus den Keim der Anarchie in sich.

[1] John Berger, unter Mitarbeit von Sven Blomberg, Chris Fox, Michael Dibb und Richard Hollis: Sehen. Das Bild der Welt in der Bilderwelt, Reinbek bei Hamburg 1972, S. 47.
[2] André Breton: Die Gesichter der Frau, in: Man Ray. Photographien 1920–1934 (Paris 1934), München 1980, o. p.
[3] Hans J. Scheurer: Photos von Frauen von Männern. Zu zwei Bildern

der Photographen E. J. Bellocq und Helmut Newton, in: Freibeuter, Nr. 12, Berlin/West 1982, S. 151–156, S. 152.
[4] John Berger, (Anm. 1), S. 51.
[5] Hans Bellmer: Kleine Anatomie des körperlichen Unbewußten oder die Anatomie des Bildes (Paris 1957), in: ders., Die Puppe, Berlin 1983, S. 71–114, S. 79.

AKTPHOTOGRAPHIE IN DER DDR

Ulrich Domröse

Innerhalb des geschlossenen Systems der DDR hat es zum Staunen der westlichen Welt eine stetig expandierende Freikörperkultur gegeben, die auch den letzten Wassertümpel mit trutzig exhibitionistischer Wut zu vereinnahmen suchte. Es scheint so, als wollte man zumindest durch den Mut zur eigenen Nacktheit ein Stückchen verlorengegangenes Selbstwertgefühl zurückerobern.

Die staatliche Propaganda machte sich diese Entwicklung zu eigen und nahm sie als Beweis für ein tatsächliches, ständig wachsendes, freies Lebensgefühl, was so pervers und verlogen war wie der gesamte gesellschaftliche Umgang mit Erotik und Sexualität.

Und der betrifft nicht zuletzt auch die Aktphotographie. Bis in die achtziger Jahre hinein gab es keinen wirklich ernstzunehmenden interessanten Ansatz in diesem Bereich. Aktphotographien erschienen, wenn überhaupt, in den gequälten, langweiligen, verkitschten Stereotypen traditioneller Amateurphotographie.

Die scheinbare Abstinenz der professionell arbeitenden Photographen ist allerdings mehr ein Indiz für die konkreten Bedingungen photographischer und künstlerischer Produktion als ein Beweis für ihr gestörtes erotisches Interesse. Die Künste und besonders die Medien waren als »Instrumente der Erziehung« einer ständig argwöhnischen Kontrolle und Reglementierung ausgesetzt. Einen wirklichen Freiraum für neue Ideen und damit natürlich sich verändernde Darstellungsformen gab es in den ersten dreißig Jahren nicht. Die Künstler sollten mit ihren Werken eine neue, sozialistische Moral vertreten und gegen die Inhalte des »menschenverachtenden Systems des Kapitalismus« deutlich abgehoben sein. Die Traditionen der Moderne oder die Entwicklungen neuester innovativer zeitgenössischer Kunst und Photographie der westlichen Welt wurden in den fünfziger und sechziger Jahren offen als dekadent und manchmal schon wieder als entartet abgewertet. Sich diesen Vorwurf auszusetzen war gefährlich, weil die damit verbundene Einstufung als Klassenfeind über allem drohte. Was blieb anderes, als die eigene Sinnlichkeit unter dem Deckmantel einer neuen sozialistischen Moral, die mit Sauberkeit, Offenheit und Lebensfreude gleichgesetzt wurde, immer wieder in die sich ständig wiederholenden, stupiden Abbildungsmuster zu zwängen, die, sollten sie nicht in den Geruch des Dekadenten oder gar Pornographischen kommen, in ihrer erotischen Ausstrahlungskraft stark reduziert waren. Bei dieser Einengung und Bedeutungslosigkeit des Themas lag die Aktphotographie für die Mehrzahl der künstlerisch arbeitenden Photographen abseits jeglichen Interesses. Die meisten von ihnen versuchten mit den Mitteln der sozialdokumentarischen Photographie die verordneten moralischen Kriterien zum Ausgangspunkt zu nehmen, um ihrerseits mit betont sozialkritischer Sicht behutsam und sehr oft auch versteckt auf gesellschaftliche Unzulänglichkeiten hinzuweisen. Daß es nur wenigen von ihnen gelang, unter diesen Umständen den eigenen Lebensentwurf deutlich zu machen, ist bedauerliche Realität.

Negativ für die Entwicklung der Aktphotographie war auch das Fehlen einer auf Innovation bauenden Werbephotographie.

Die Anstöße, die aus der Werbung selbst oder als Reaktion darauf unweigerlich zur Beschäftigung mit dem Thema geführt hätten, blieben völlig aus.

In diesem Klima bedurfte es schon einer entsprechenden Konditionierung, um sich trotzdem mit Energie diesem Arbeitsgebiet zu widmen. Einer der ganz wenigen ist der 1926 geborene Günter Rössler, der seit seinen Studententagen ein Anreger und Motor für die Beschäftigung mit diesem Genre war. Seine erste Aktausstellung 1978 in Grimma bei Leipzig war die erste Aktphotographieausstellung der DDR überhaupt und eine Sensation. Ein Jahr später erschien das erste Buch zur Aktphotographie beim Photokinoverlag Leipzig. Bestimmend für die Auswahl der Bilder waren noch immer diffuse moralische Wertmaßstäbe, nach denen nur »ästhetisch einwandfreie Darstellungen« zur Abbildung kamen. Auch wurden noch einmal die erzieherischen Aufgaben beschworen und andererseits der gesellschaftliche Kontext betont, nach dem die sozialistische Gesellschaft

»der Emanzipation menschlicher Sinnenfreuden hohen Wert beimißt«.

Die Herausgabe dieses Buches war das Resultat eines in den siebziger Jahren gewachsenen Interesses einer Vielzahl von Photographen an diesem Thema, vor allem aber auch der ständigen Nachfrage eines begierigen Publikums.

Denn nach wie vor war die Veröffentlichung dieser Bilder ein großes Problem. Im ganzen Lande gab es nur zwei Zeitschriften mit regelmäßiger Aktphotographie. Beide, die Zeitschrift »Photographie« und das »Magazin«, waren Monatsblätter, und beide profitierten für ihren Absatz gewaltig von den zwei bis vier Aktabbildungen pro Heft. Besonders das »Magazin« bestimmte für einen großen Publikumskreis über fast vierzig Jahre hinweg die Maßstäbe für den Umgang mit der Aktphotographie. Seine Beiträge allerdings entsprachen, von wenigen Ausnahmen abgesehen, dem oben genannten Niveau.

Erst mit dem Beginn der achtziger Jahre wurden diese eingefahrenen Gleise gesprengt. Vor allen Dingen von Photographinnen (Eva Mahn, Gundula Schulze, Ingrid Hartmetz, Evelyn Krull, Tina Bara) kamen die neuen Ansätze, und sie bestimmten das veränderte Bild der Aktphotographie bis in die jüngste Vergangenheit mit. Bei aller Unterschiedlichkeit rebellieren sie gegen ein anonymes ästhetisches Ideal. Die Nacktheit der Modelle dient ihnen zur Charakterisierung der ganzen Persönlichkeit. Ihre Arbeiten entstanden nicht zuletzt auch als Reaktion auf die bildhaften Manifestationen eines sentimental geprägten Klischees dauernden Glücks und der konfusen Vermischung eines Schönheitsideals von ewiger Jugend, mondänen Schönheiten und zurechtplazierten Hausfrauen am Badestrand.

Im Verhältnis zu den teilweise beachtlichen Leistungen der DDR-Photographen, insbesondere in dem schmalen sozialdokumentarischen Bereich, bleibt mit Ausnahme ganz weniger Bilder von der Aktphotographie nichts weiter als der schale Geschmack einer provinziellen Selbstgenügsamkeit.

VON DER KÖRPERLUST ZUR BILDERLUST

Reinhold Mißelbeck

»Der Reiz der Erkenntnis wäre gering, wenn nicht auf dem Wege zu ihr soviel Scham zu überwinden wäre.«

Friedrich Nietzsche[1]

ie Frage des Verhältnisses von Form und Inhalt in der Kunst hat ganze Generationen von Philosophen und Kunstwissenschaftlern beschäftigt. Auf keinem Gebiet jedoch ist die Gefahr der Verwischung beider Fragestellungen und Ansätze so groß, wie auf dem der Aktphotographie, eigentlich müßte man sogar verallgemeinert von der Kunst sprechen, soweit sie sich dem Thema Akt, in welcher Weise auch immer – ob mythologisch, religiös, wissenschaftlich oder ästhetisch – widmet. Zweifellos hat jedoch die Photographie eine besondere Zuspitzung in die Problemstellung gebracht, da bei ihr die Nähe von Bildobjekt und Bild am unvermitteltsten erscheint. Ich spreche bewußt vom Schein, da für die Photographie nicht weniger als für die Kunst allgemein gilt, daß das Kunstwerk seine eigene Existenz konstituiert und seine Qualität nicht zuletzt dadurch beweist, daß der Vergleich zwischen Vorbild und Bild keine wesentlichen Erkenntnisse für die Qualität der Kunst erbringt. »Photographieren heißt Bedeutung verleihen. Es gibt wahrscheinlich kein Sujet, das nicht verschönt werden kann.«[2] Schönheit ist für das Thema der Aktphotographie ganz ohne Zweifel ein wichtiger Anstoß für ihre Entstehung, für das bleibende Interesse an ihr. Immerhin datieren die ersten Zeugnisse für diese Thematik bereits aus dem Jahr 1841.[3] Jedoch muß auch hier ganz deutlich unterschieden werden zwischen Bild und Wirklichkeit – meint Susan Sontag hier die Schönheit des Bildes und nicht die Naturschönheit, so wie wir hier grundsätzlich über das Bild zu sprechen haben und nicht über den Bildgegenstand, auch wenn in der Aktphotographie diese Trennung unscharf bleiben muß.

Das faszinierende am künstlerischen Bild ist, daß es selbst Wirklichkeit ist und so unabhängig von jener seine eigene Faszination und Ausstrahlung hat. Jedes Abbild weckt lediglich Erinnerung, der sich das Bild verweigert, weil sich das Abgebildete in ihm nicht wiederzuerkennen vermag. Wer sich die Gesichter der Modelle aus der Frühzeit der Aktphotographie betrachtet wird schnell daran erinnert, daß die Photographen die Modelle damals nicht unter den schönsten, sondern allenfalls unter den Bereitwilligsten auswählen konnten. Auch die Subjektive Photographie hat zu Beginn der fünfziger Jahre deutlich gemacht, daß selbst das verfallenste und verdreckteste Sujet als Vorlage für Photographien von ausgesuchter Faszination und Schönheit sein kann. »Die Schönheit ist nicht in den Dingen, sondern in unseren Augen.« Mit diesem Satz begann Bernard Noel seinen Aufsatz über die »Berührung durch den Blick«.[4] Dies mag für den Photographen sein Interesse an der Photographie erklären. Für das Publikum kommt ein weiterer wichtiger Aspekt hinzu, der die zunehmende Bedeutung der Bilderwelt für unser alltägliches Leben hervorhebt. Wir stehen heute vor dem Paradox, daß uns die gleiche Hochtechnologie, die den Erdball zusammenschrumpfen läßt und uns mit Japan, Amerika und Australien auf eine Weise in Kontakt bringt, die sie als unsere Nachbarn erscheinen lassen, daß eben diese Technologie auch dazu führt, daß wir immer weniger in und mit den Dingen selbst, sondern mit ihren Bildern in Kontakt treten. Das Original tritt sozusagen in den Hintergrund, die Kopie, die Second-hand-Wirklichkeit dominiert mehr und mehr unser Leben und unser Bewußtsein. Der abendliche Krimi ersetzt den Nervenkitzel und das Abenteuer in einem ruhig gewordenen Leben, die Fernsehshow löste das gemeinsame Spiel in der Familie ab, ebenso hat der Computer den Platz des Gesellschaftsspiels eingenommen, erotische Bilder in Zeitschriften und im Film ersetzen das Liebesabenteuer. Die Welt der Bilder scheint uns reicher und vielgestaltiger, ja toleranter und unbegrenzter als das Leben selbst. Anders als die Wirklichkeit setzen die Bilder der Phantasie keine Grenzen. »Während wir im Falle unseres natürlichen Stoffwechsels ziemlich schnell an die physischen Grenzen stoßen, wie beim Essen, Dauerlauf, Sex und Alkohol, gibt es einen solchen Sättigungspunkt bei unserem künstlichen Stoffwechsel und

Vergnügen nicht.«[5] Vor diesem Hintergrund erklärt sich die Bedeutung der Bilderwelt als Ersatzwelt. Berücksichtigt man die Tatsache, daß der Akt in der Kunst in seiner ganzen Geschichte, in verstärktem Maße seit den Anfängen der Aktphotographie, eine ähnliche Funktion wahrnahm, dann kann man erahnen, welche bewußtseinsverändernde Kraft dem Bild heute zukommen mag.

Für die Aktphotographie des 19. Jahrhunderts dürfte das Streben nach dem schönen und möglichst naturgetreuen Akt als gemeinsamer Nenner gelten. Mit dem Pikturalismus und dem Neuen Sehen bis in die Subjektive Photographie hinein könnte man von einer Gleichwertigkeit des schönen Akts und des schönen Bildes sprechen. In dem Maße, wie neue Gestaltungen und experimentelle Verfahren, wie die Solarisation, die Collage oder ungewöhnliche Perspektiven in die Aktphotographie Eingang fanden, trat das Interesse am schönen Akt hinter dem gut gestalteten Bild zurück. Selbst die Avant-Garde der zwanziger und fünfziger Jahre, ob Laszlo Moholy-Nagy, Man Ray, Frantisek Drtikol, Lucien Clergue, Umbo oder Friedrich Seidenstücker, rückte nicht wesentlich von diesem Prinzip ab.

Erst die Künstlerphotographie der ausgehenden siebziger bis in die achtziger Jahre setzte hier neue Maßstäbe. Das außergewöhnlich große Interesse am Akt ist hier weniger in ästhetischen Erwägungen begründet als im Interesse am Menschen. Insofern der bekleidete Mensch stets Ausdruck der jeweiligen Kultur ist, bleibt er für künstlerische Untersuchungen über den Menschen in seinem physischen und psychischen Sosein ungeeignet. Erst der nackte Mensch offenbart sich in seinem Geworfensein, in seiner Verletzlichkeit, ist der mitunter unerbittlichen Sektion durch die Kamera zugänglich. Joe Gantz kann mit seinem Bild aus dem Zyklus »The Possibility for Love« als ein Exponent dieser fast wissenschaftlichen Obsession, emotionale Beziehungen im photographischen Bild zu fixieren, genannt werden. Ein weiterer wichtiger Ansatzpunkt ist die Neuinterpretation von Mythen, insbesondere aus weiblicher Sicht, wie wir sie bei Diana Blok – »The Triumph of Sacred over Profane Love« – finden. Auf ganz verschiedene Weise setzen sich Toto Frima, die auf die Körperlichkeit Bezug nimmt, und Colette, die das barocke Ambiente weiblichen Putzes inszeniert, mit dem Mythos der Frau auseinander. Auch kunsthistorische Traditionen werden im Rahmen von Photoarbeiten aufgegriffen. So bedient sich Herbert Döring ungewöhnlicher technischer Verfahren zur Erzeugung einer neuen Art piktorialistischer Bilder während Wolfgang Pietrzok die Idee der menschlichen Pinsel Yves Kleins für photographische Aktbilder nutzbar macht. Ein bedeutsames Kapitel zeitgenössischer Photokunst ist die Aufarbeitung unterschiedlicher Formen von Gewalt, Gewaltphantasien oder realer Verdinglichung des Menschen. Beispielhaft ist hier das Werk von Joel Peter Witkin, die Arbeit von Marlo Broekmans – »Crucifixion« – oder die selbstzerstörerischen Projektionen von Michal Macků. Eindeutig und offensichtlich wird der Bezug zur Gegenwart, wenn sich Helmut Newton durch seine Photographien im Ambiente der Reichen und Halbentblößten auf den Zusammenhang von Geld und Dolce Vita bezieht oder Nelson Bakerman in seiner Serie der »Wall Street Nudes« den Zusammenhang von Sex und Geld hintergründig zitiert.

Doch sind die Arbeiten, die das Erotische unmittelbar thematisieren, gegenwärtig in der Minderheit. Überwiegend ist der Akt, auch wenn er schamlos offengelegt wird, Bildmittel zur Darstellung unterschiedlicher Themenkomplexe, weniger selbst Thema. Aus diesem Grund vor allem hat sich die Position verändert, aus der heraus die Auseinandersetzung mit dem Thema Akt in der Photoarbeit geführt werden muß. Sind die ersten hundertdreißig Jahre Aktphotographie in ihrer Beurteilung durch die Öffentlichkeit – aber sicher auch in der Intention der Photographen – von Kriterien wie künstlerischer Akt, erotischer Akt und Pornographie bestimmt, sodaß das Fortschreiten der Liberalisierung daran zu erkennen war, wo gerade die Grenzen zwischen diesen Kategorien gezogen wurden, hat die Künstlerarbeit diese Trennungen aufgeweicht. Sie beansprucht den Menschen ganz zu untersuchen, seinen Körper und seine Seele offenzulegen, ohne nach Einschränkungen durch die Moral zu schielen, dem Grundsatz Adornos folgend: »Erster und einziger Grundsatz der Sexualethik: Der Ankläger hat immer Unrecht.«[6] Kann man der traditionellen Aktphotographie noch zedieren, daß – entgegen den vorausgehenden Überlegungen über das Verhältnis von Bildgegenstand und Bild – in den Photographien, die nicht nach der Kunst schielen, die Körperlust nicht unwesentlich Bestandteil oder conditio für die Bilderlust war und ist, so geht der gegenwärtige Prozeß der Befreiung der Künstlerphotographie vom traditionellen Konzept der Aktphotographie einher mit einer zunehmenden Dominanz des Bildes über seinen Inhalt. Für die Kunst ist es entscheidende Bedingung, daß sie sich als eigene Realität konstituiert, die mit der Wirklichkeit nur den Entstehungsprozeß gemeinsam hat, und in ihren Bedeutungen und Inhalten über das im Bild sichtbare hinausweist. Für sie gilt der Satz Duane Michals, für ihn sei nicht entscheidend, was man sieht, sondern was man nicht sieht.[7] Häufig kann die einzelne Arbeit die künstlerische Intention nur bruchstückhaft vermitteln, bedarf es des Werkkontextes, um das Interesse des Künstlers zu eruieren. Wer nicht die Serie »Tenderness« oder das Buch »Whose Child Cries« von Joe Gantz kennt, mag möglicherweise seine hier vorliegende Arbeit als sexistisch einstufen, wer von früheren Serien oder den internationalen Kunstaktionen zur Völkerverständigung von Nelson Bakerman nicht weiß, wird möglicherweise die kritisch-humorvolle Position zum Kapital in seiner Wall Street Serie für oberflächlich halten und ihn lediglich als Liebhaber fülliger Damen einschätzen.

Zahlreiche Künstler, wie Pierre Molinier, Diana Blok, Marlo Broekmans, Toto Frima oder Alice Odilon, gehen so weit, in erster Linie mit dem eigenen Körper zu arbeiten, um die Identität von Welt-Verständnis und dem eigenen Ich herzustellen. »Dadurch, daß sie nicht mehr Vermittler des Objekts sind, und auf der Unmittelbarkeit des »Machens« bestehen, haben die körperbezogenen Künstler das Trennende zwischen sich und dem Betrachter beseitigt, um in eine unmittelbare visuelle Beziehung zu ihm zu treten.«[8] Doch ist die Verwendung des eigenen Körpers nicht conditio sine qua non für diese Position, vielmehr ist Voraussetzung für eine derartige Wirksamkeit daß die photographische Dokumentation des Körpers in diesem Sinne Anwendung findet. Auch wenn es für den Künstler aus Gründen der Selbsterfahrung wesentlich sein mag, der Betrachter wird keinen Unterschied finden, sobald das photographische Bild vom Körper als Medium der Identifikation für den Erfahrungshintergrund des Betrachters zugänglich bleibt. Eine erotische Wirkung kann solchen Bildern dennoch zu eigen sein, möglicherweise gerade dann, wenn uns der Künstler gestattet, im identifikatorischen Prozeß mit seinen eigenen Augen zu sehen. Vielleicht ist hier der Grund für unseren ständigen Hunger nach neuen Bildern zu finden, auch wenn wir in einer Bilderflut zu ertrinken drohen. »Das kollektive Voyeurtum in der Mediengesellschaft verstärkt die ohnehin schon starke Verbindung zwischen Augenkontakt und Erotik, Sehen und Lust«.[9] Möglicherweise entpuppt sich die Bilderlust als eine Bildersucht, die die Realität nicht zu stillen vermag, sondern nur jene Bilder, die sie erzeugt haben. Wo haben wir sonst Gelegenheit, mit den Augen anderer zu sehen?

[1] Friedrich Nietzsche, Jenseits von Gut und Böse, Leipzig 1930, S. 77, Nr. 65
[2] Susan Sontag, über Photographie, München, Wien 1978, S. 30
[3] siehe Hans Christian Adam, Die erotische Daguerreotypie, in: Das Aktphoto, Ästhetik, Geschichte, Ideologie, München und Luzern 1985 S. 56
[4] Bernard Noel, le toucher du regard, in: le nu, Paris 1986, o. S.
[5] Nam June Paik, Künstliche Intelligenz gegen künstlichen Stoffwechsel, in: Videokunst in Deutschland, 1963–1982, Ausstellungskatalog, Kölnischer Kunstverein, 1982, S. 116

[6] Theodor W. Adorno, Minima Moralia, Frankfurt 1951/1971, S. 57
[7] Duane Michals, in: Nude Theory, New York 1979, S. 138
[8] Roger Marcel Mayou, Body Art oder die Weiterentwicklung des Selbstportraits, in: Das Selbstportrait im Zeitalter der Photographie, hrsg. Erika Billeter, Ausstellungskatalog, Musée Cantonal des Beaux Arts, Lausanne 1985, S. 94
[9] Gundolf S. Freyermuth, Die Geschichte der erotischen Photographie, in: Der erotische Augenblick, Hamburg 1984, S. 335

Lust auf Männerärsche

Hans Eppendorfer

Seine fünf Buchstaben, durch alle Gewichtsklassen dekliniert, von den Knackpunkten rundlicher Traumnoten bis hinab in die Niederungen der immer schlaffer werdenden Verfalldaten. Auf ihn warf die Antike ihr ästhetisch-sinnliches Auge. Die letzten Jahrhunderte präsentierten ihn – wenn überhaupt – eher in der komischen Ecke. Das Hinterteil des Mannes, seine knackfrische Poebene, galt lange Zeit als nicht diskussionsfähig. Die übelsten Geiferer waren – wie so häufig – ausgerechnet jene, deren erschlaffte Kisten dem Auge nur noch eine Zellulitis-Katastrophe zu zeigen vermochten. Mann zeigte nicht was er hatte, der Dialog zu seiner Vorder- und Rückseite blieb ungenutzt, eine Ahnung zeigte sich bestenfalls im zarten Aufglühen markanter Ohrmuscheln. Charme und Scham hielten sich diskret.

Die erotische Fleischauslage in voller Breite, hieß Weib. Mit ihr durfte alles geschehen, keine Körpernische blieb unausgeleuchtet, der weibliche Körper als voyeuristische Landkarte für Pfadfinder mit der Schamschwelle Null. Jeder Zentimeter wurde abgegrast mit chauvinistischen Suchscheinwerfern und stilisiert, bis hinauf zum Kunstobjekt oder hinunter zu pornographischen Schlickeinlagen. Kein nackter Männerarsch war zu erkennen auf der verblasenen Strecke, hie und da ein männliches Körperfragment aus Lustbasalt, zu mehr traute Mann sich nicht. Denn das Wissen um den Umgang mit dem Frauenkörper brannte porentief. Welcher Mann wollte sich schon so präsentiert sehen, entblößt von allen schützenden Grauwerten, preisgegeben zwischen Greisenlust und Pennälerpickeln, der öffentlichen Gier ausgesetzt. Ausgeliefert wie ein öffentlicher Volksempfänger. Der Mann blieb in seiner Körperlichkeit privat und wich aus in die Freizügigkeiten der Badehäuser, der auflagenschwachen Magazine, der diskret abgeschirmten Privatclubs. Körperzensur, Lustdiktat, Optikkontrolle, die Gesellschaft durfte zufrieden sein in ihrer dominanten Verlogenheit, süchtig in ihrer vermufften Verklemmung, der Herr im Haus mußte sich weiter bedeckt halten. Denn eine Freibank gab es doch schon bis an die Grenzen der Brechschwelle abgelichtet, zum Genuß und zur Abschreckung, objektiert und preisgegeben. Dann kam die Werbung mit ihrer Brachialgewalt und Maultrommelakrobatik auf andere Gedanken und ging, zwecks Bilderauffrischung, endlich dem Mann an die Hose und schälte ihn aus seinem optischen Herbstlaub, aus dem Grau der Salinen, aus den Salzstöcken seiner Sprachlosigkeit. Und, siehe da, sein Körper zeigte Handschrift und Fingerabdrücke, vermittelte Lusteinblicke und ungeahnte Muskelkonturen. Der nackte Mann zeigte Flagge und, die Spiegel beschlugen nicht vor Scham. Im Gegenteil. Das lange verschmähte männliche Tier zeigte sich in seiner ganzen Schönheit, durchaus konkurrenzfähig zu seinem weiblichen Gegenstück. Es sprang uns an mit seinem bloßen Hinterteil aus allen Werbeflächen, mitten hinein ins Auge und die Gesellschaft, leicht irritiert, sah endlich hin, gleich den Wendehälsen der Lust, allerdings mitnichten liberaler oder einsichtiger als vorher. Denn ihre verhornte Spießigkeit ist um ein vielfaches gewichtiger als ein überschminkter Leberfleck. Nur halten sich die erhobenen Zeigefinger im Augenblick verborgen, hat der Männerkörper seinen Freiflug, der maskuline Hintern sein Umsatzplus in den Werbestatistiken. Keine Hochzeit für Angsthasen ist angesagt, denn neue Reizwerte tragen, das Verlangen nach Männerhaut nimmt zu, der beengte Wohnküchencharme von Erotik blättert ab. Ein neues Körpergefühl macht sich breit, zu dem der Mann nur mutmachen kann. Mut zum neuen Mann, der auch einen schönen, unverhüllten Körper haben darf, unverkrampft und begehrenswert. Unverzichtbar mit Brust, Scham und Hinterteil, ohne die Komikeinlage der Jahrhundertwende, die Halbschatten aus den prüden Fünfzigern, oder die hopsende Fröhlichkeit aus der Freikörperkultur. Das Sichtverhalten ändert sich, der nackte Mann wird gesellschaftsfähig. Eine neue Attraktivität greift sich Raum, die eben nicht nur im bloßen Männerhintern einen Gebrauchsgegenstand sieht und dem Männerkörper endlich die Schönheit zugesteht, die er schon immer, unter allen Tarnungen, hatte. Wie wäre es mit einer neuen Körpersucht, offen, lustvoll und unverkrampft? Guten Morgen, Mann!

Anonym, Frankreich
Hälfte einer Stereo-Daguerreotypie, koloriert, ca. 1855

Anonym, Frankreich
Hälfte einer Stereo-Daguerreotypie, koloriert, ca. 1855

Anonym, Frankreich
Hälfte einer Stereo-Daguerreotypie, koloriert, ca. 1855

Anonym, Frankreich
Hälfte einer Stereo-Daguerreotypie, koloriert, ca. 1855

Anonym, Frankreich
Hälfte von Stereo-Daguerreotypien, koloriert, ca. 1855

Anonym, Frankreich
Hälfte einer Stereo-Daguerreotypie, koloriert, ca. 1855

Anonym, Frankreich
Hälfte von Stereo-Daguerreotypien, koloriert, ca. 1855

29

Anonym, Frankreich
Hälfte von Stereo-Daguerreotypien, koloriert, ca. 1855

Anonym, Frankreich
»Les Plaisirs d'un Bal Masqué«,
aus einem Album betitelt »Erotikon«, ca. 1885

Anonym, Frankreich
kolorierter Abzug, ca. 1870

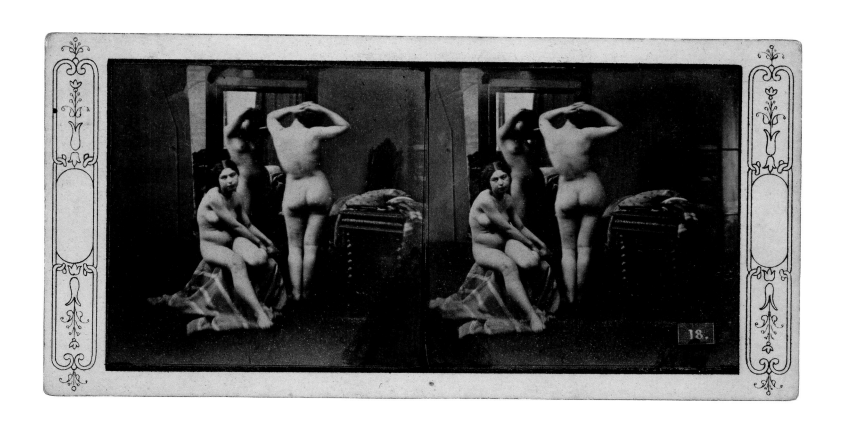

Anonym, Frankreich
Stereokarte, koloriert, ca. 1860

33

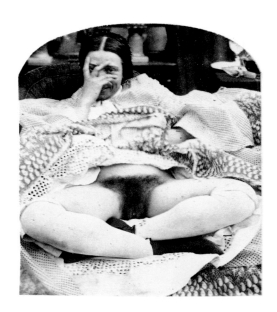

Anonym, Frankreich,
Hälfte einer Stereokarte, ca. 1860

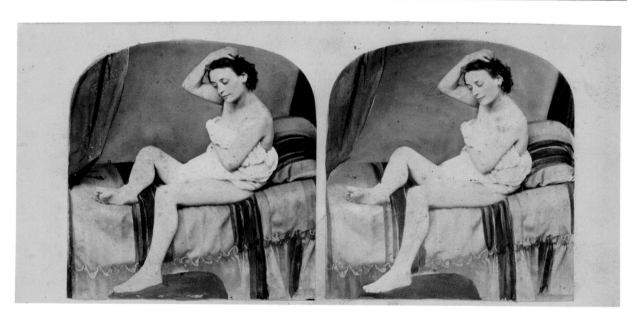

Anonym, Frankreich
Kolorierte frühe Stereokarten, ca. 1860

Auguste Belloc, Frankreich, ca. 1854

Louis Camille d'Olivier, Frankreich, ca. 1855

Guglielmo Marconi, Frankreich, ca. 1870

Eugène Durieu, Frankreich, ca. 1855

Anonym, Frankreich, ca. 1865

Anonym, Frankreich, ca. 1870

Guglielmo Marconi, Frankreich, ca. 1870

Guglielmo Marconi, Frankreich, ca. 1870

Anonym, Frankreich, ca. 1875

Leopold Reutlinger, Frankreich, ca. 1890

Albert Wyndham, Paris, ca. 1900

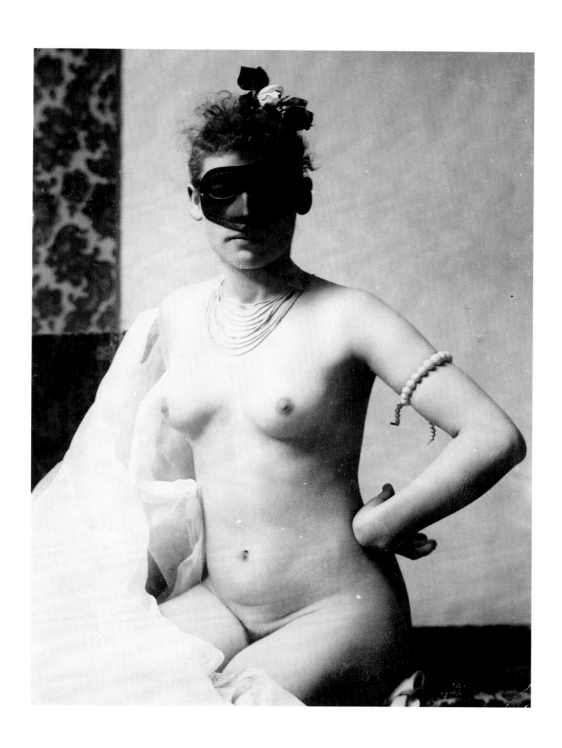

Anonym, Frankreich, ca. 1890

Anonym, Frankreich, ca. 1860

Anonym, Frankreich, ca. 1870

Anonym, Deutschland
»Lebender Marmor«
Photopostkarte, ca. 1910

Anonym, Deutschland
»Willi Olympier als Siegesbote von Marathon«
Photopostkarte, ca. 1910

Anonym, Frankreich, ca. 1885

*Atelier Reutlinger, Frankreich
Cabinet-Photographie,
rückseitig handschriftlicher Vermerk
»Duvernoy, Casino Paris«, ca. 1890*

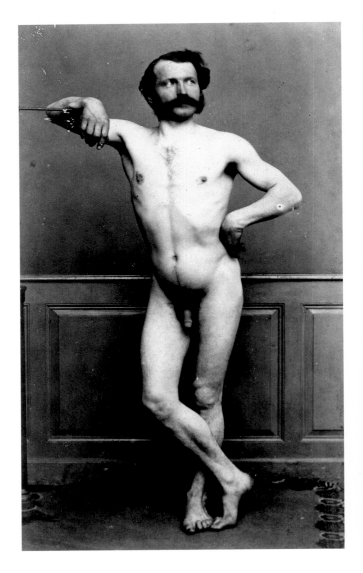

Anonym, Carte-de-visite, ca. 1865

Anonym, ca. 1890

Anonym, Frankreich, »Collection Athlétique«, ca. 1890

Anonym, Frankreich, ca. 1890

Anonym, Frankreich, ca. 1890

Anonym, Frankreich, ca. 1900

Anonym, Frankreich, ca. 1910

Anonym, Italien, ca. 1890   *Anonym, Frankreich, ca. 1885*

Anonym, Frankreich, ca. 1900

Anonym, Frankreich, Carte-de-visite, ca. 1860   *Anonym, Frankreich, ca. 1880*

Anonym, Frankreich, ca. 1900   *Anonym, Frankreich, ca. 1900*

Anonym, ca. 1890

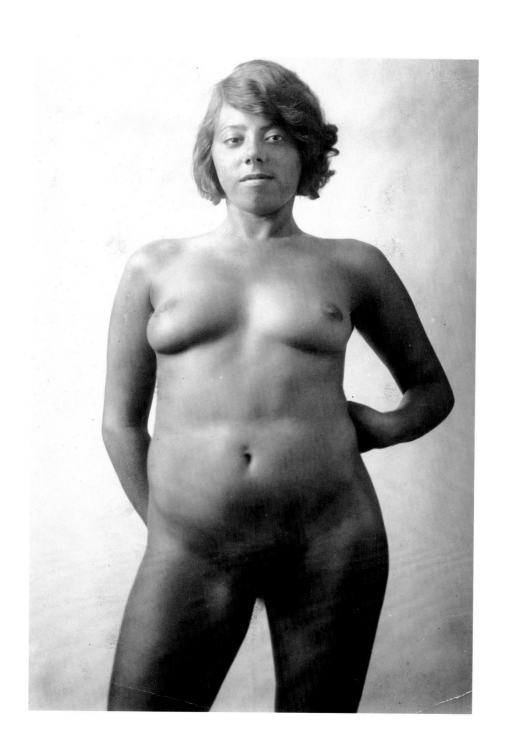

Anonym, um 1900

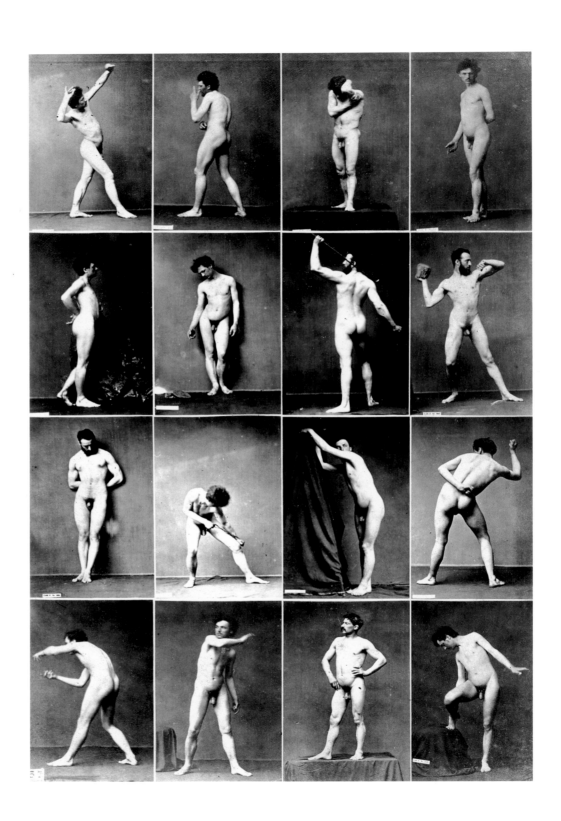

A. Calavas, Frankreich, ca. 1900

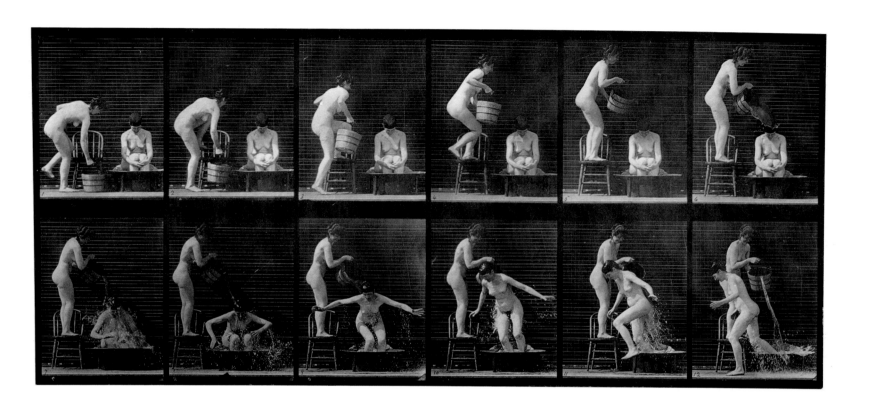

Eadweard Muybridge, USA
Bewegungsstudien aus »Animal Locomotion«,
Tafel 406, 1887

65

Guglielmo Plüschow, Italien, ca. 1895

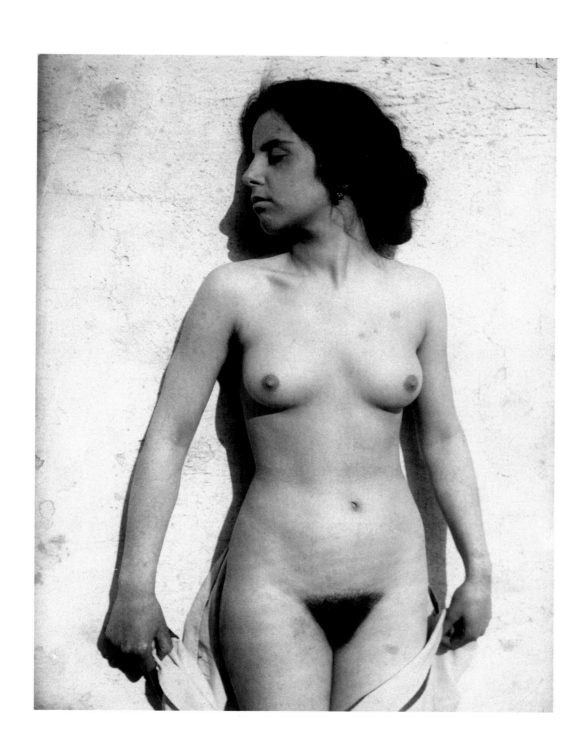

Guglielmo Plüschow, Italien, ca. 1895

Guglielmo Plüschow, Italien, ca. 1895

Guglielmo Plüschow, Italien, ca. 1900

Wilhelm von Gloeden, Italien, um 1900

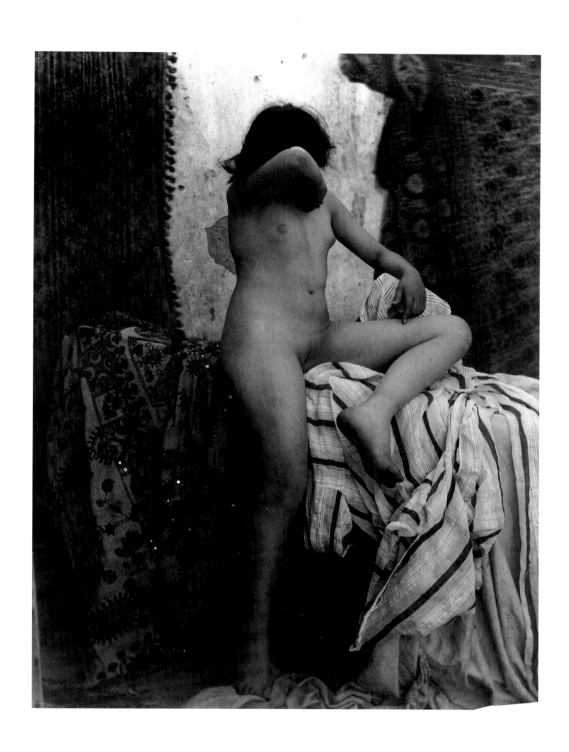

Vincenzo Galdi, Italien, ca. 1905

71

Anonym, Frankreich, ca. 1905

Anonym, Deutschland, um 1900

Frank Eugene, USA/Deutschland, »Adam und Eva«
Heliogravure aus »Camera Work«, 1910

74

H. Matthiesen, Deutschland, 1923

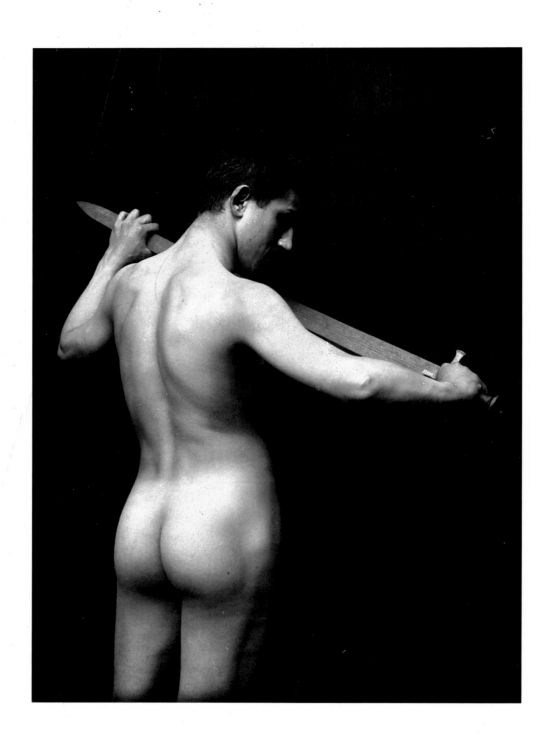

Anonym, Italien, um 1900

Joszef Pecsi, Ungarn, ca. 1925

Anonym, Italien, ca. 1910

Othmar Streichert, Österreich
braun getönter Edeldruck, 1933

Madame d'Ora, Österreich, farbiger Edeldruck, 1925

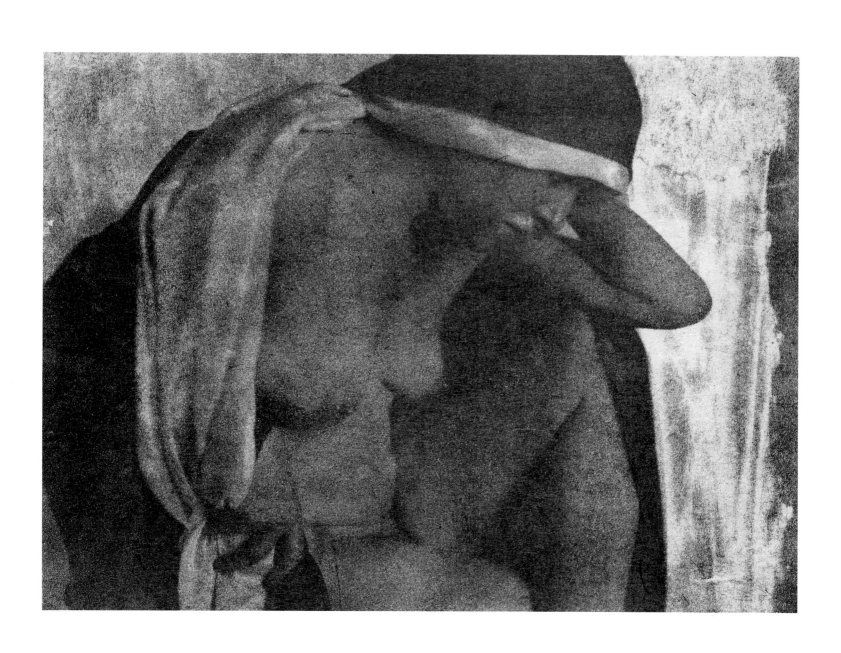

Anonym, Österreich, Edeldruck, ca. 1925

E. J. Bellocq, USA, »Storyville Portraits«, ca. 1912

E. J. Bellocq, USA, »Storyville Portraits«, ca. 1912

Rudolf Koppitz, Österreich, Edeldruck, ca. 1925

Rudolf Koppitz, Österreich, »Bewegungsstudie«, 1927

Hermann Schieberth, Österreich, ca. 1910

Anonym, Frankreich, ca. 1925

Anonym, Frankreich, kolorierte Photopostkarte, ca. 1920
        Anonym, Frankreich, Photopostkarte, ca. 1890

Anonym, Frankreich, Photopostkarte, ca. 1910
        Anonym, Frankreich, Photopostkarte, ca. 1910

Voilà deux jolis seins
ronds et potelés .

Anonym, Frankreich
»Voila deux jolis seins ronds et potelés«
Photopostkarte, ca. 1910

Anonym, Frankreich, Stereo-Glasdiapositive, ca. 1920

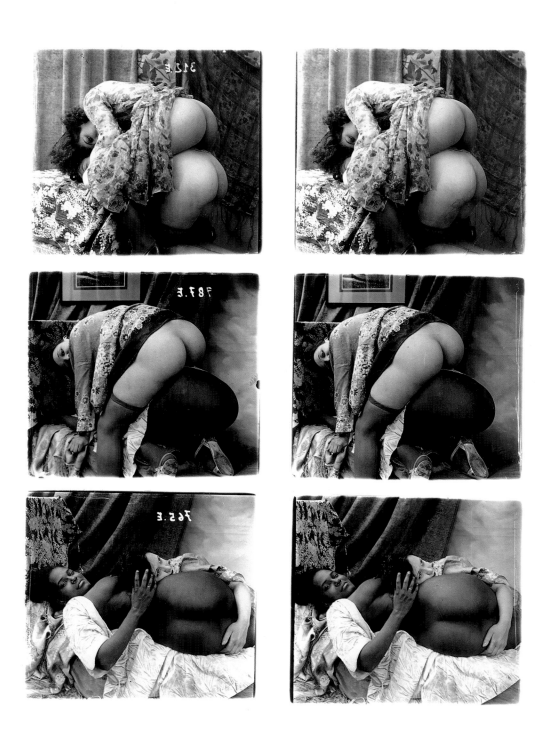

Anonym, Frankreich, Stereo-Glasdiapositive, ca. 1920

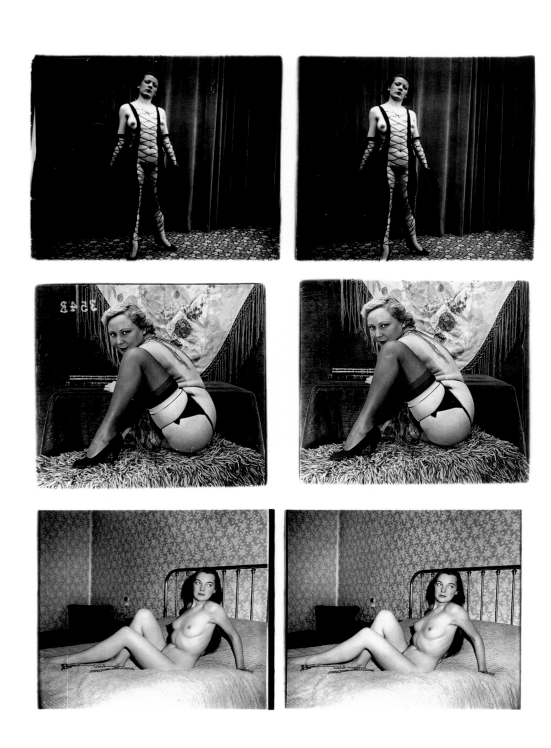

Anonym, Frankreich, Stereo-Glasdiapositive, ca. 1920

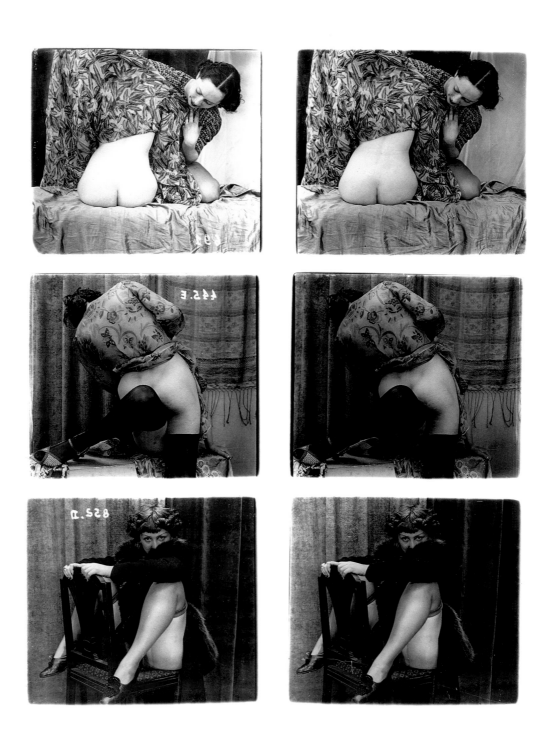

Anonym, Frankreich, Stereo-Glasdiapositive, ca. 1920

Gerhard Riebicke, Deutschland, ca. 1930

Helmi Hurt, Deutschland
Standbild für den Kinoaushang zum UFA-Film
»Wege zu Kraft und Schönheit«, 1924

95

J. Bayer, Deutschland, ca. 1930   *Anonym, Deutschland, ca. 1930*

Anonym, Deutschland, ca. 1930

Heinz von Perckhammer, Deutschland, ca. 1935

Herbert List, Deutschland »Athen«, 1938

»Paris Art Edition«, Frankreich, ca. 1910

Residenz-Atelier, Österreich, ca. 1935

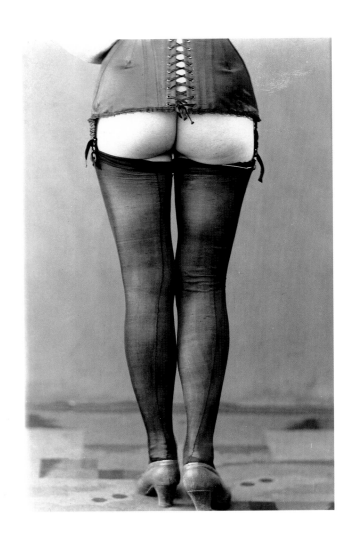

Anonym, Deutschland, ca. 1928

d'Ora/Benda, Österreich, ca. 1930

Dorothy Wilding, England/USA, »Venez jouer avec moi«, ca. 1928

Manassé, Österreich, ca. 1935

Heinz v. Perckhammer, Deutschland, ca. 1930

Residenz-Atelier, Österreich, ca. 1935

Manassé, Österreich, ca. 1930

Manassé, Österreich, ca. 1930

d'Ora/Benda, Österreich, »Ossie Kondje und Ali«, ca. 1930

Anonym, Österreich, ca. 1925

Studio Keystone, Frankreich, Photomontage, ca. 1938

Angelo, Frankreich/Ungarn, Photomontage, ca. 1935

Manassé, Österreich, ca. 1930

Walery, Frankreich, »Josephine Baker«, ca. 1925

František Drtikol, Tschechoslowakei, ca. 1925

Edward Steichen, USA, »Miss Sousa«, 1933

František Drtikol, Tschechoslowakei, »La Pensée«, ca. 1930

Angelo, Frankreich/Ungarn, ca. 1935

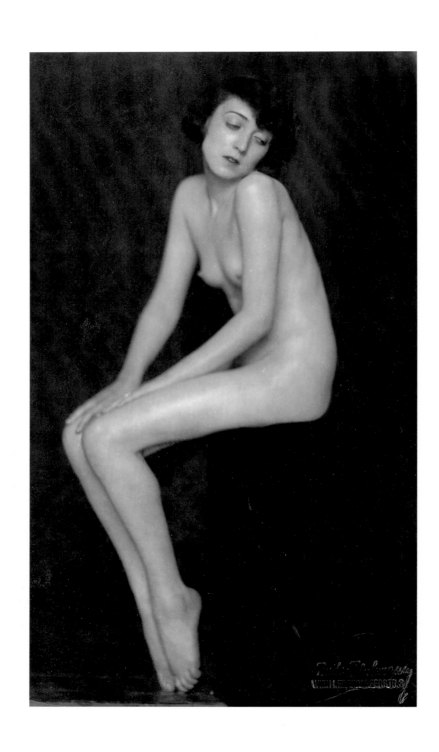

Trude Fleischmann, Österreich, ca. 1930

Blanc et Demilly, Frankreich, »Scandale« (Werbeaufnahme für Occulta S. A.), ca. 1930

Iva, Deutschland, ca. 1940

Olga Wlassics, Deutschland, ca. 1945

Man Ray, Frankreich, »Electricité«, 1931

Hans Bellmer, Deutschland, »Die Puppe«, 1935

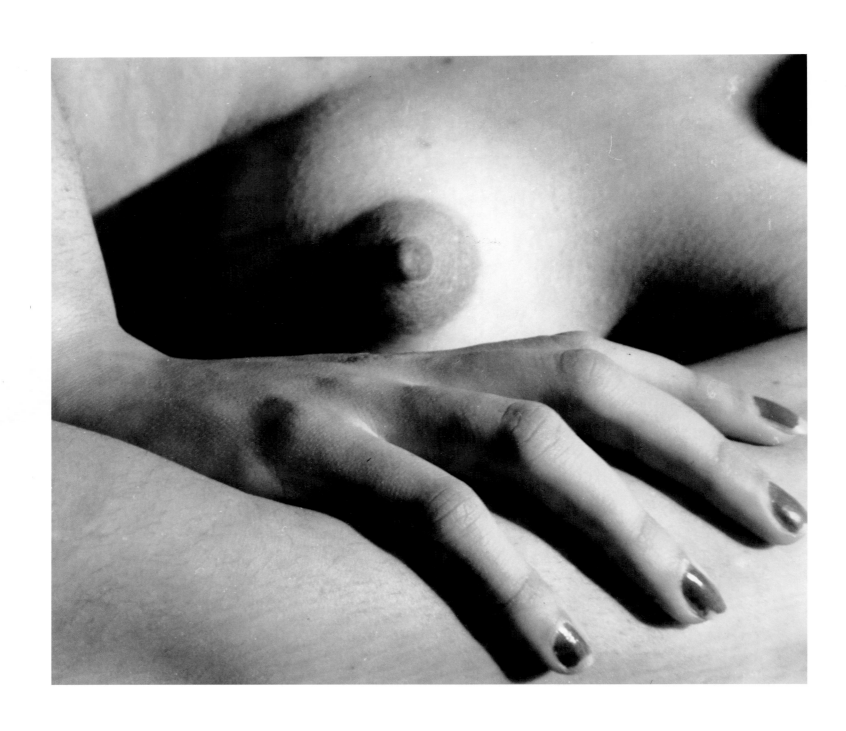

Karel Ludwig, Tschechoslowakei, »Detail«, 1941

Roye, England, ca. 1940

Franz Roh, Deutschland, Negativprint, ca. 1925

Franz Roh, Deutschland, ca. 1925

Gertrude Fehr, Schweiz, Solarisation, ca. 1938

Heinz Hajek-Halke, Deutschland, ca. 1938

Anonym, Frankreich, ca. 1925

Manassé, Österreich, ca. 1935

133

Gustav Presser, Österreich, »L'Apache«, 1936

Roye, England, ca. 1940

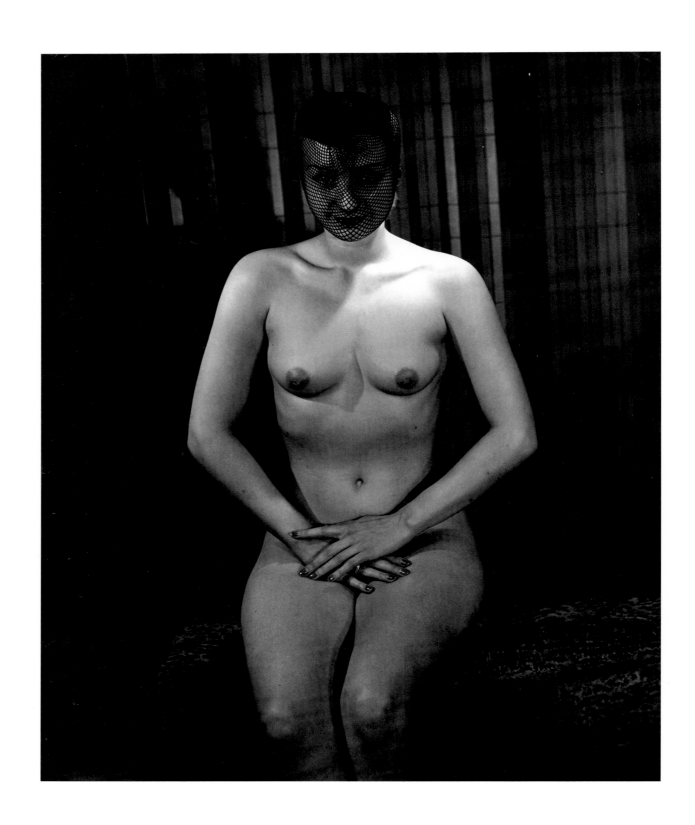

Weegee, USA, ca. 1955

Count Theodore Zichy, England, 1948

P. Horst, USA, ca. 1980

138

P. Horst, USA »Nude«, 1950

Lucien Clergue, Frankreich, »Nus de la mer«, ca. 1975

Lucien Clergue, Frankreich, »Nus de la ville«, ca. 1975

Fritz Henle, USA/Deutschland, »Nude under Ferns«, 1954

Jean Dieuzaide, Frankreich, 1988

George Krause, USA, »Swish« (Rom), 1980

Nelson Bakerman, USA, »The Wall Street Nudes«, 1989«

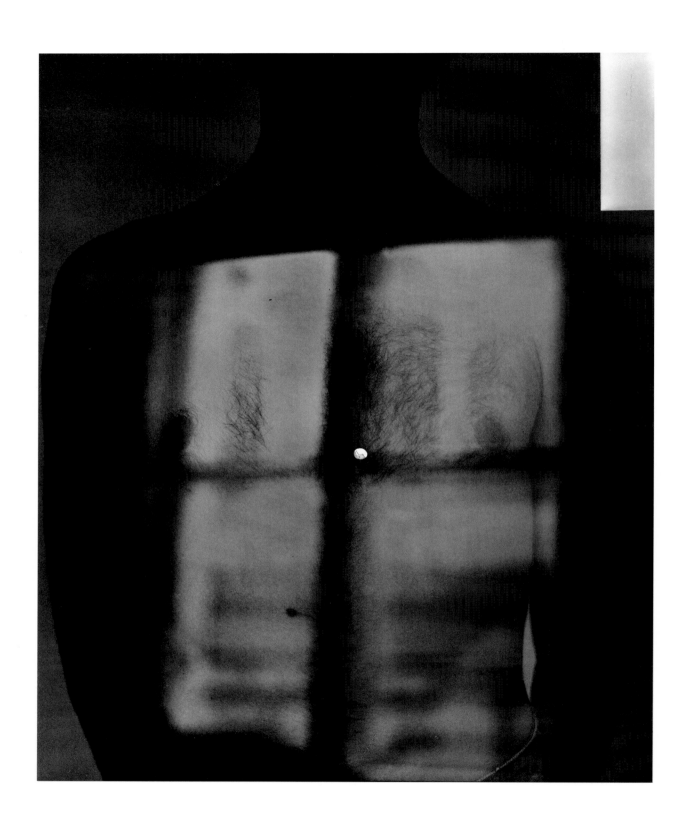

Jíří Korecký, Tschechoslowakei, 1986

František Maršálek, Tschechoslowakei, 1980

Jan Saudek, Tschechoslowakei
»Eine Liebe« kolorierter Abzug, 1988

Jan Saudek, Tschechoslowakei
kolorierter Abzug, 1983

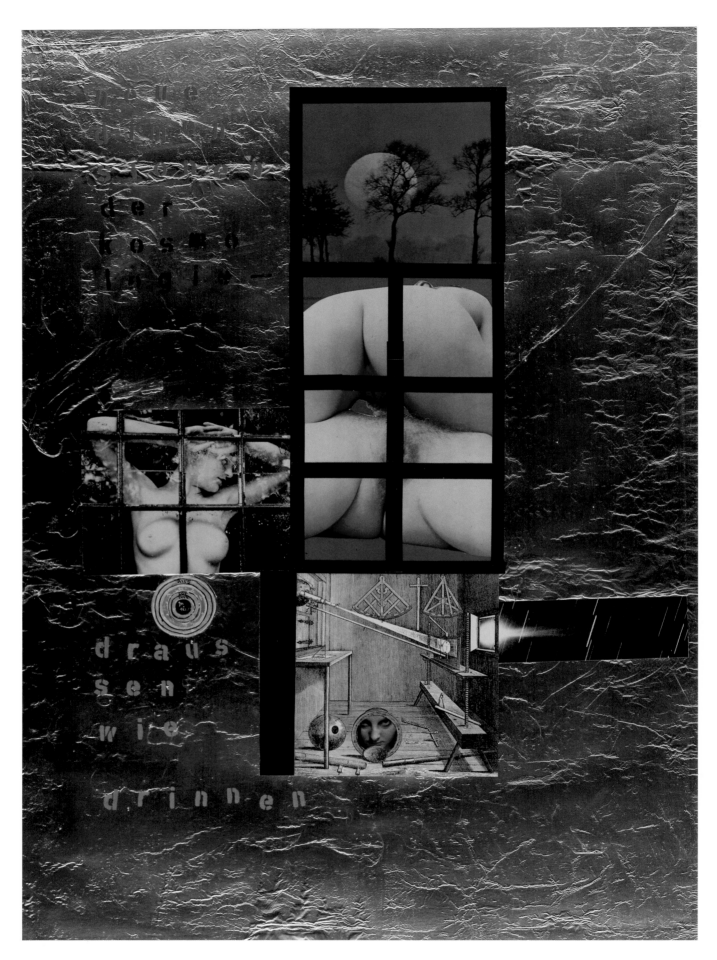

Curt Stenvert, Deutschland
»neue dimensionen der kosmologie oder: draussen wie drinnen«, ca. 1985

Herbert Döring, Deutschland, 1990

Karin Székessy, Deutschland, »Katja + Leo«, 1987

Helmut Newton, Frankreich, »Raquel Welch, Los Angeles«, ca. 1975

Milton Greene, USA, Marilyn Monroe, 1957

Martin Hugo Maximilian Schreiber, USA/Frankreich, »Madonna like a sphinx«, 1979

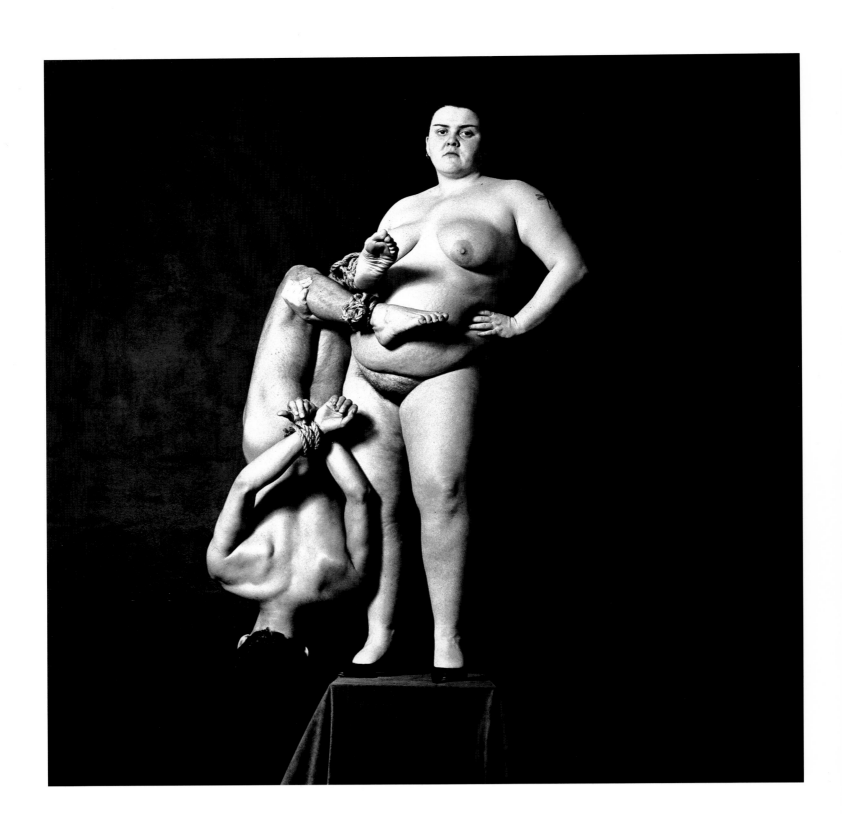

Erwin Olaf Springveld, Niederlande, 1986

Joel-Peter Witkin, USA, »Courbet In Rejlander's Pool«, 1985

Toto Frima, Niederlande, Polaroid (50 x 60 cm), 1988

Les Krims, USA, 1980

159

Serge Nazarieff, Schweiz, »Formentera«, 1983

Taishi Hirokawa, Japan, ca. 1985

Christian Vogt, Schweiz, »Kim«, 1981

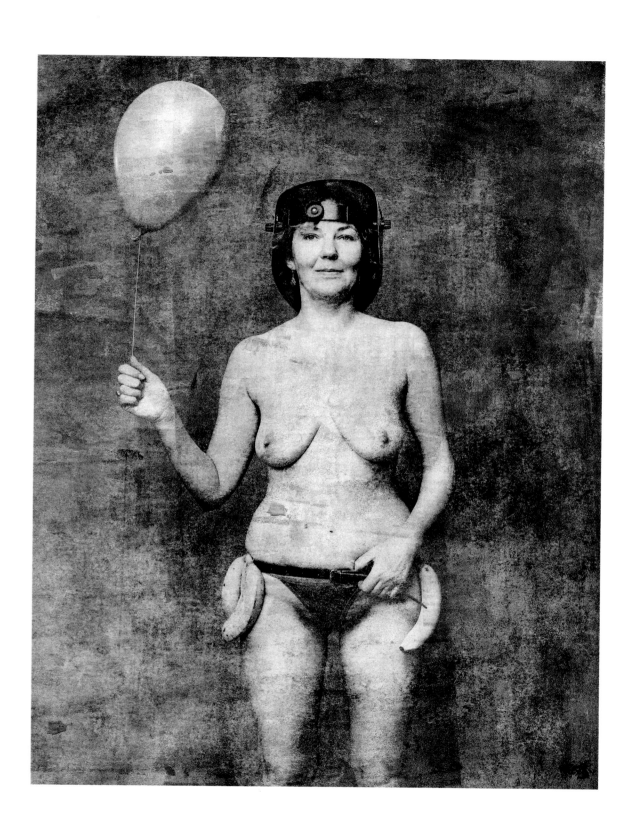

Martin Pudenz, Deutschland, Bromöldruck, 1990

Jan Bengtsson, Schweden, 1985

Günter Zint, Deutschland, »Zum § 218«, ca. 1975

Werner Bokelberg, Deutschland, »MM-Mädchen«, 1977

H. W. Hesselmann, Deutschland, »Olympus-Girl«, 1990

Art Ringger, Schweiz, kolorierte s/w-Montage, ca. 1988

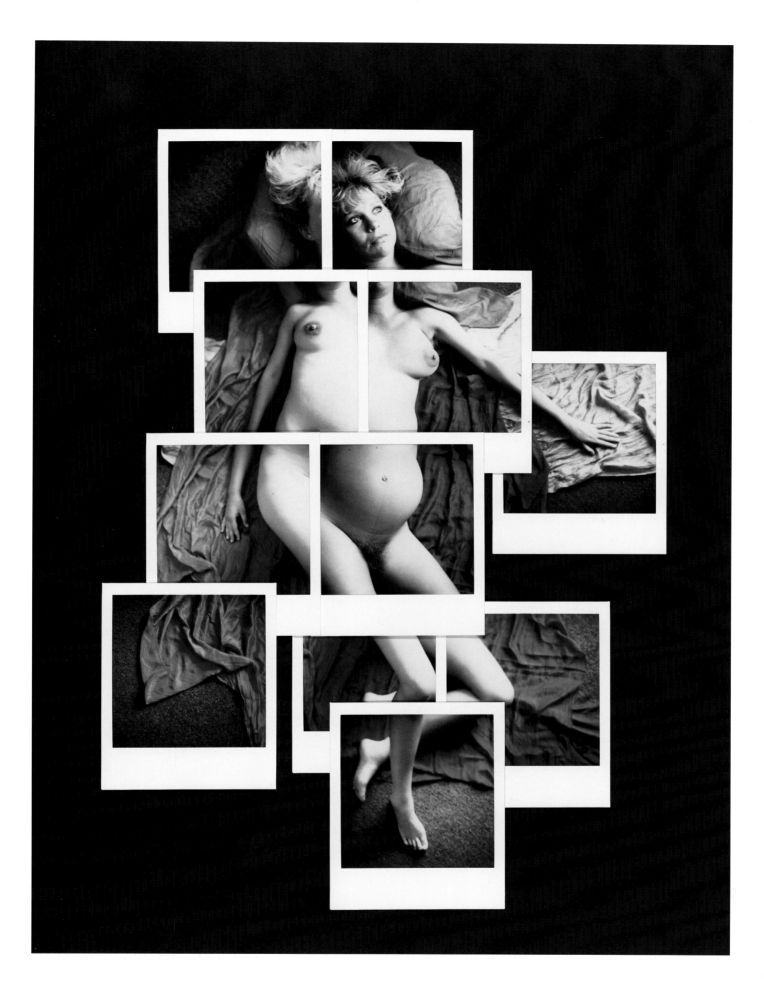

Thomas Karsten, Deutschland, Polaroid-Montage, SX 70, 1986

169

Manfred-Michael Sackmann, Deutschland, ca. 1985

Volker Corell, USA, »Russ Meyer and Kitten«, 1985

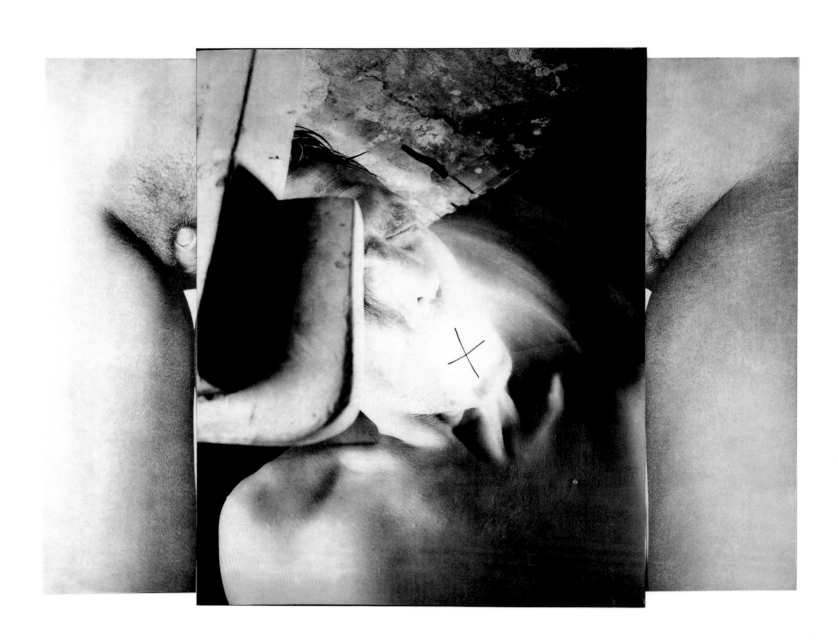

Hermann Försterling, Deutschland, 1989

Michal Macků, Tschechoslowakei, 1989

Marlo Broekmans, Niederlande, »The Wheel or ›The female christ‹«, 1983

Pierre Molinier, Frankreich, ca. 1975

Wolfgang Pietrzok, Frankreich, »Quetschung«, ca. 1989

Lieve Prins, Niederlande, »Lovers in Public Baths«, Copy Art, 1990

Virgilius Šonta, Litauen, ca. 1985

Thomas Lüttge, Deutschland, »Menschenkörper/Frau«, ca. 1980

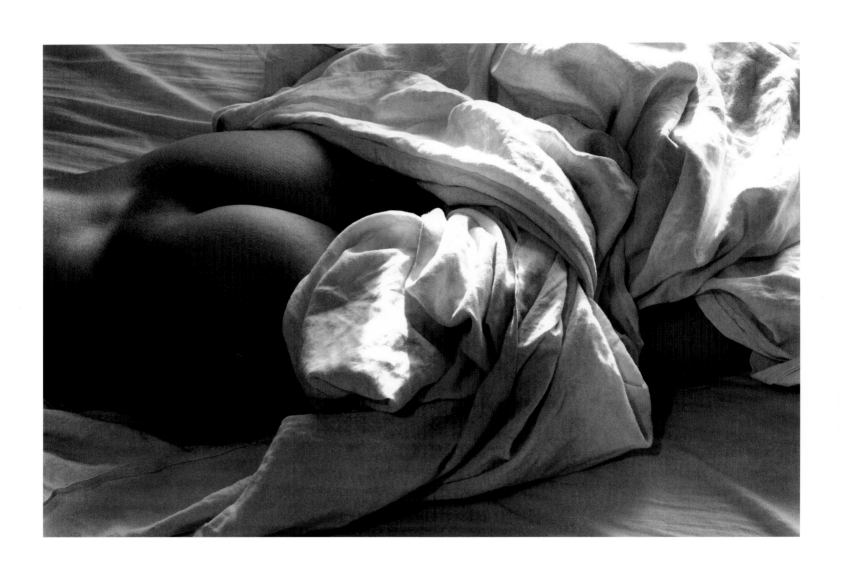

Frédéric Barzilay, Frankreich, ca. 1985

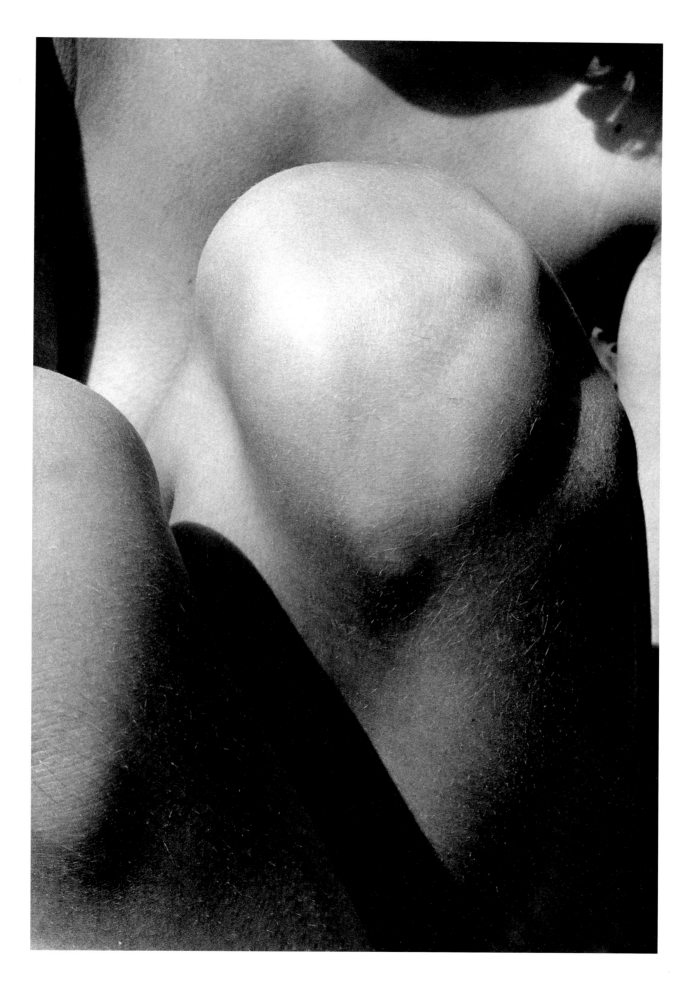

Hans Christian Adam, Deutschland, 1983

Michael Fehlauer, Deutschland, »Visionen 4«, ca. 1985

Tina Collen, USA, »Goldenrod Erecta«, ca. 1988

Andreas Bohnhoff, Deutschland, 1987

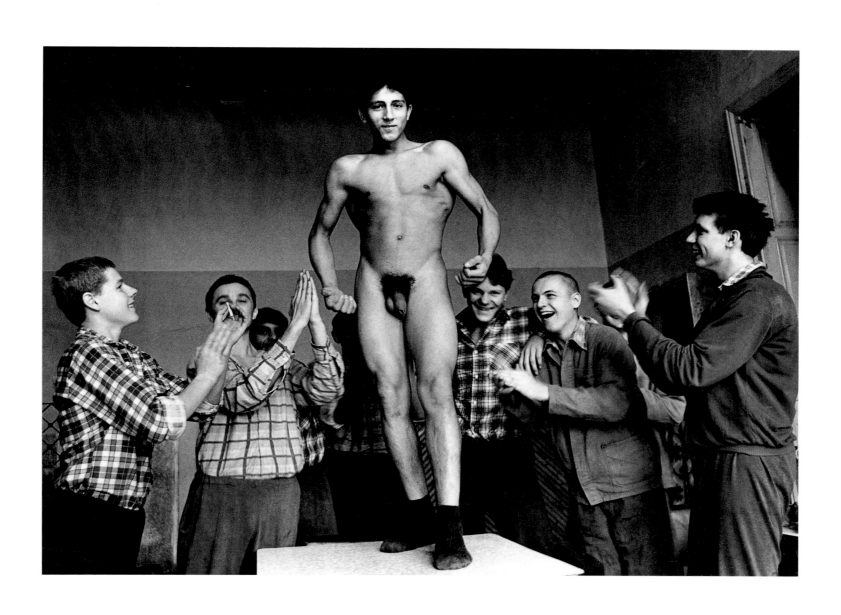

Pavel Šešulka, Tschechoslowakei, ca. 1985

Tomi Ungerer, Frankreich, ca. 1985

Paul de Nooijer, Niederlande, »Selfportrait«, 1980

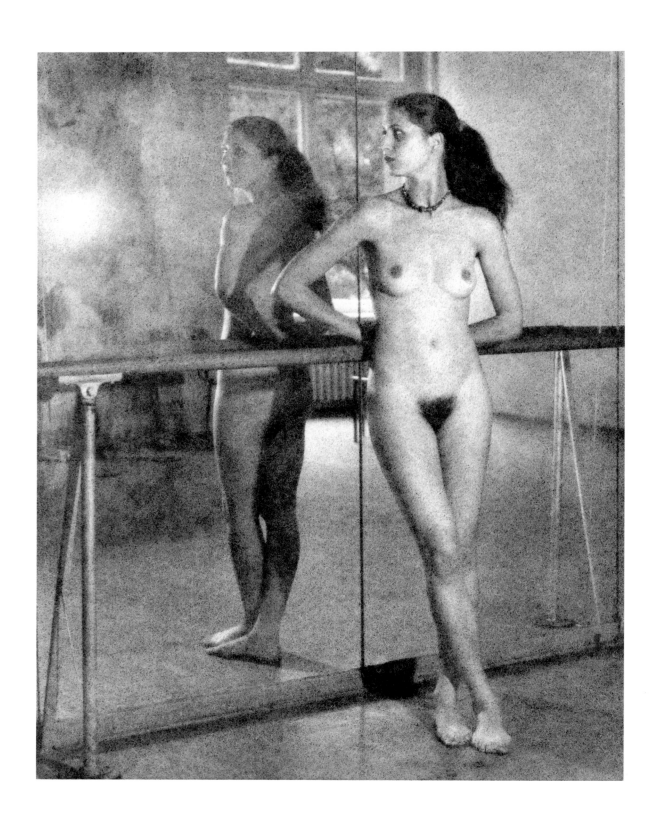

Erasmus Schröter, Deutschland, 1982

Sandra Russell Clark, USA, »The Sensual Touch«, 1988

André Gelpke, Deutschland, »Pinnwand Selbstportrait« 1984

Colette, USA/Deutschland, »Real Dream«, 1975

David Hamilton, England, ca. 1970

Volker Beinhorn, Deutschland, 1987

Evelyn Krull, Deutschland, »Körpersprache XV«, 1986

194

Sven Marquardt, Deutschland, 1990

Klaus Mitteldorf, Brasilien, 1990

Pedro Ritz à Porta, Schweiz/Italien
Selbstportrait im Paßfotoautomaten, 16. 11. 1990

Patrick Bailly-Maître-Grand, Frankreich
»Let's twist again«, 5teilige Daguerreotypie, 1989

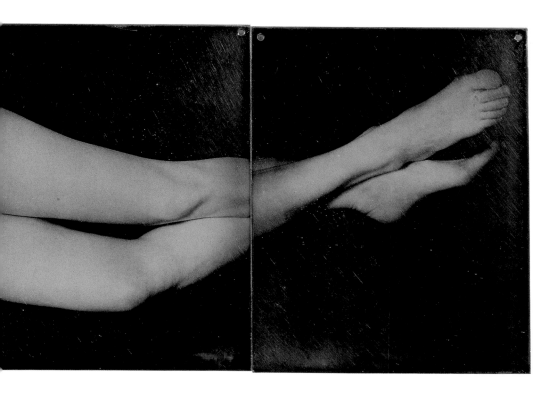

Robert Shlaer, USA, »Nude«, Daguerreotypie, 1989